OS CÓDIGOS DO LANÇAMENTO DIGITAL

OS CÓDIGOS DO LANÇAMENTO DIGITAL

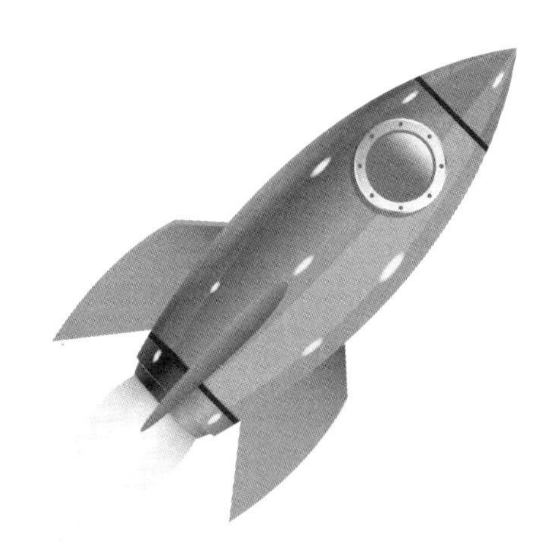

MARCOS PAULO

Camelot
EDITORA

1ª Edição 2021

Presidente: Paulo Roberto Houch
MTB 0083982/SP

Edição: Aline Ribeiro (contato@assessoarte.com.br)
Projeto Gráfico: Rubens Martim (rm.martim@gmail.com)
Imagens: Shutterstock
Vendas: Tel.: (11) 3393-7723 (vendas@editoraonline.com.br)

Impresso no Brasil.
Foi feito o depósito legal.

Dados Internacionais de Catalogação na Publicação (CIP)
(eDOC BRASIL, Belo Horizonte/MG)

P331c Paulo, Marcos.
Os códigos do lançamento digital: entenda como um dos maiores lançadores do país fatura milhões de reais na internet / Marcos Paulo. – Barueri, SP: Camelot, 2021.
15,5 x 23 cm

ISBN 978-65-87817-35-4

1. Redes sociais. 2. Marketing na internet. 3. Mídia social. I.Título.
CDD 302.231

Elaborado por Maurício Amormino Júnior – CRB6/2422

IBC – Instituto Brasileiro de Cultura LTDA
CNPJ 04.207.648/0001-94
Avenida Juruá, 762 – Alphaville Industrial
CEP. 06455-907 – Barueri/SP
www.editoraonline.com.br

Sumário

Prefácio

Faça um lançamento exponencial

Independentemente do nicho de atuação, há sempre um conteúdo a ser explorado para agregar valor na vida das pessoas. E quando decidimos lançar este conteúdo de modo exponencial, a Internet é um dos principais meios. Afinal, os produtos digitais têm a capacidade para alcançar uma audiência grandiosa. Contudo, é preciso fazer um ótimo lançamento para garantir um alcance efetivo.

Como devem ser os passos deste lançamento? Neste livro, Marcos Paulo – um dos maiores lançadores do país – apresenta os pilares fundamentais: banco de dados; estratégias; entrega do produto; e modelo do "mínimo viável do produto" (mvp). O autor ainda explica como é preciso aumentar o nível de consciência da audiência durante as etapas de um lançamento e afirma que existem duas formas de escalar a base: organicamente e com tráfego pago.

Como deve ser o fluxo de captura de *lead* frio, ou seja, de potenciais clientes que ainda não conhecem o expert? Marcos Paulo explica detalhadamente nas próximas páginas! E ele vai além: com sua expertise à frente dos maiores lançamentos do país, Marcos ainda desafia você a fazer seu primeiro lançamento em 30 dias. Será que você está preparado?

Para facilitar, o autor deixa exemplos de criativos prontos para você modelar para o seu negócio. E ainda completa com as ações de pós-lançamento.

Lembre-se: quando você pensa em lançamento, você pode atuar em três frentes: especialista, lançador e agência de lançamentos.

Prepare-se para criar um movimento capaz de transformar a vida de muitas pessoas! Siga as estratégias e cumpra o seu propósito!

Os editores

Capítulo 1

Introdução ao lançamento

Antes de aprender a criar estratégias de lançamento, é preciso entender o conceito de Marketing Digital. Outro passo é analisar por que os infoprodutos possuem grande escala e margem de lucro.

Sim, acredite, é possível ter um faturamento exorbitante com as estratégias que aprenderá neste livro!

Contudo, saiba, desde já, que é necessário fortalecer o seu mindset. Isso porque mais importante do que as técnicas, é quebrar os bloqueios que o impedem de colocá-las em prática. Sendo assim, neste capítulo, conheça os cinco pontos fracos que você não pode ter. E se os tiver, o que deve fazer para eliminá-los!

O que é lançamento?

Antes de entender o que é lançamento, é importante saber de fato qual é o conceito de Marketing Digital. Muitas pessoas dizem que querem trabalhar com o Marketing Digital Digital e você provavelmente seja uma delas. Contudo, não é possível trabalhar com marketing digital, porque ele é meio e não fim. "Como assim?" – você deve estar se perguntando.

Marketing digital é um potencializador para aquilo que já existe. Por exemplo, um dentista poderá usar o Marketing Digital para construir a sua imagem, o seu *Branding*. Dessa forma, poderá aumentar o preço dos seus serviços, pois terá um valor agregado muito maior através da técnica de Marketing Digital. Qualquer profissional pode fazer uso das estratégias do Marketing Digital para alavancar seus negócios. O que isso quer dizer? Significa que o Marketing Digital não é uma profissão ou um fim, e sim um meio, uma ferramenta.

Já o lançamento é uma técnica. Lançar é expor! O lançamento pode ser tanto para produto físico, quanto para digital. O que muda é a logística, a entrega, mas a técnica em si é a mesma.

Lançamento é destacar algo ou alguém em um alto nível de exposição em um curtíssimo espaço de tempo. A oratória dessa exposição deve ser persuasiva e estar carregada de gatilhos mentais. O objetivo final é de venda e/ou construção de *branding* (construção de imagem).

LEMBRE-SE!

Teste seu conhecimento

Qual é o conceito do marketing digital?
O que é lançamento?

Reverb do lançamento

Quando você faz um lançamento, a sua autoridade aumenta muito. Se você já tem um posicionamento e fizer um lançamento, terá grandes chances de ter sua agenda lotada! Isso porque, no universo digital, as coisas acontecem muito rápido. Sim, você irá reverberar! É normal quando você lança, acontecer o "reverb do lançamento", ou seja, obter muitos resultados – e não apenas financeiro, mas sim de visibilidade e autoridade. É um crescimento exponencial!

Por meio do lançamento, é possível ampliar as oportunidades de negócios. Além disso, quem se propõe a aprender e a aplicar as dicas que dou sobre esse tema, com certeza aumenta a sua autoridade digital e física, a ponto de outros desejarem aliar-se à sua imagem.

A autoridade é a percepção que as pessoas têm sobre você. E quando você começa a produzir conteúdo de alto impacto, com qualidade, e começa a fazer lançamentos, seu público nas redes sociais começa a crescer. Logo, a sua autoridade aumenta. Isso tudo desencadeia em diversas coisas positivas!

Sendo assim, o lançamento não vai apenas lhe dar destaque no digital, mas em sua vida como um todo. Este é o reverb do lançamento: aumenta a sua autoridade e a sua audiência e faz crescer o impacto social que você causa na sociedade. A sua mensagem chegará para mais pessoas, e o seu nome será reverberado para o público. Cada vez mais, as pessoas falarão sobre você e sobre a sua metodologia e solução que você carrega para o mundo.

LEMBRE-SE!

Teste seu conhecimento

O que você entendeu sobre o reverb do lançamento?

Escala e margem

Você já ouviu falar que algumas pessoas ganham 6 dígitos em um único lançamento? Será que isso é possível de fato? Sim, é verdade. Não é que você conquistará este retorno financeiro logo no primeiro lançamento, mas, conhecendo cada vez mais a sua audiência e lançando as melhores estratégias para conquistá-la, poderá conseguir bons digítos em pouco tempo.

O primeiro lançamento com retorno de sete dígitos que fiz foi após o meu quinto ou sexto lançamento. Ou seja, foi muito rápido. Isso não acontece com todo mundo, e é perfeitamente normal. Isso porque, na própria vida, algumas pessoas sempre se destacam mais do que outras, independentemente da profissão. A mesma coisa acontece no lançamento: é muito mais sobre você do que o produto que lançará. A técnica que apresento neste livro já está validada por mim e outras pessoas. Sendo assim, o seu resultado será muito mais sobre você.

Para você conseguir bons resultados, precisa entender os conceitos de escala e margem.

Escala: um negócio ou um produto no qual é possível aumentar o faturamento múltiplas vezes, sem aumentar o custo para tal. O aumento de faturamento não é proporcional à elevação de custo, pois este último é muito menor. Quando isso acontece, dizemos que trata-se de um negócio escalável. E o lançamento digital é totalmente escalável! Por esse motivo, é possível faturar muito mais em curto espaço de tempo.

Pense em uma pessoa que vende brigadeiro: se ela quiser escalar o seu faturamento, terá que produzir muito mais brigadeiros. Nesse caso, terá que aumentar o custo de ingredientes e de produção (mais tempo cozinhando, contratar uma ajudante...). Ou seja, o custo também será elevado. Esse negócio, portanto, não é escalável!

O lançamento de infoproduto é totalmente escalável!

Margem de lucro: é o percentual da venda que sobra como o lucro. Se você vende um produto por R$ 100 e sua margem de lucro é de 30%, sobrará R$ 30 para o seu bolso. No caso do brigadeiro que mencionamos anteriormente, se são produzidos 10 brigadeiros, e cada brigadeiro tem um custo de R$ 1 e você vende a R$ 2, a sua margem de lucro é de 100%, pois você dobrou, ficará com R$ 1 sobre cada brigadeiro vendido.

Mesmo assim, nesse tipo de negócio, a sua margem de lucro tende a ser limitada. Ou seja, a margem de lucro é aquilo que você lucra sobre a venda do produto.

Em infoproduto, a margem de lucro é muito alta. Por exemplo, se você gasta R$ 1.000 para produzir um curso, terá esse mesmo valor de custo se vender 10 ou 1.000 cursos. Sendo assim, poderá ter uma escala e uma margem de lucro muito superior.

LEMBRE-SE!

Teste seu conhecimento

O que é um negócio escalável?
Cite 3 exemplos de negócios escaláveis e 3 exemplos de negócios não escaláveis.

Teoria do bote

Imagine que você está sentado em um bote em um rio bem calmo. Esse bote é a sua vida financeira. São os resultados que você pode construir ao longo do tempo.

Neste bote da vida, um dos remos é chamado estudo, teoria. O outro remo é execução e prática. O que acontece, muitas vezes, é que grande parte das pessoas só quer estudar. Sempre acha que está faltando um novo conteúdo, um novo *insight*. Por consequência, esta pessoa fica cansada, com obesidade cerebral e acha que não está tendo resultado.

Isso tudo porque esta pessoa não ocupa o outro remo, ela não executa! Se você esta no bote, tem que dar uma braçada de estudo e outra de execução. Assim, o bote irá em linha reta! Se você apenas estudar, só irá mover um remo do bote e andará em círculo. Por outro lado, se você apenas executar como um doido, também apenas andará em círculos.

Gostaria que você fizesse um compromisso comigo. Tudo o que você aprender neste livro, colocará na prática. Para cada hora estudada, faça 20 horas executadas.

Outra dica: sempre siga um mentor com uma estratégia. Ou seja, muitas vezes, queremos estudar diversos conteúdos de diferentes pessoas. Quaisquer estratégias estudadas podem funcionar, porém, quando aplicadas todas de uma vez, podem criar uma verdadeira "lambança".

Imagine colocar em uma recipiente diversos ingredientes: leite condensado, achocolatado, alho, leite, tomate... Todos os ingredientes são gostosos e nutritivos, contudo, quando misturados, não funcionam bem e não possuem um gosto atrativo. Isso também acontece quando estudamos diferentes estratégias e metodologia de marketing ao mesmo tempo. Não funciona! Foque em uma e execute-a!

LEMBRE-SE!
Teste seu conhecimento
Por que o ideal é seguir um mentor com uma estratégia?

Identifique os seus pontos fracos

Existem cinco pontos fracos que podem lhe prejudicar em seus resultados. São eles:

- **obesidade cerebral:** quando você sabe demais e aplica de menos. Estude menos e execute muito. Pratique sempre tudo o que aprendeu.

• **analfabetismo digital:** se a tecnologia causa espanto em você, se aventurar em computadores deixa você inseguro, isso pode ser prejudicial. Principalmente as pessoas mais velhas têm esse bloqueio, pois, quando nasceram, não tinha tanta tecnologia no dia a dia em abundância, como nos dias atuais. Se você tem esse pavor, respire fundo e encare como um desafio! Saiba que fará parte do processo e encare-o! Saia da zona de conforto, aprenda e execute.

• **perfeccionismo:** no digital, há muitos detalhes para serem feitos. Se você gastar a sua energia em todos, você será perfeccionista e o seu projeto não andará. Sendo assim, coloque uma data no seu lançamento e cumpra-a. Não pode mudar! O perfeccionista perde o *time*, o impacto social e atrasa todo o processo. Perde tempo e deixa de crescer! Siga em frente, mesmo que não goste de algumas coisas. A velocidade é importante.

• **bloqueio criativo:** muitas pessoas falam que não são criativas, que não conseguem criar um nome para o curso. Acredite, não são nomes criativos que farão dar certo, e sim a estratégia. Contudo, para estimular a sua criatividade, tenha repertório. Assista a filmes, séries, leia livros... Quando você consome muito conteúdo, consegue aflorar a sua mente para novas ideias.

E não tenha vergonha do que você irá falar! Por vezes, você tem uma ideia criativa, mas tem bloqueio por achar que as pessoas não irão gostar. Fale! Não espere uma aprovação social. Estude e apresente o seu conteúdo sem receios.

• **networking:** esse fator é muito importante no mercado do marketing. Além da técnica, é preciso ter a "competência humana" para poder se relacionar com as pessoas que ajudarão você a crescer. Conecte-se com essas pessoas, faça boas parcerias e tenha mais visibilidade.

Quais desses pontos fracos você tem? Analise-os e trabalhe para aperfeiçoar sua atuação o quanto antes.

LEMBRE-SE!

Teste seu conhecimento

Pensando nos pontos fracos apresentados, crie uma lista de tarefa para aperfeiçoar cada ponto necessário.

Capítulo 2

Abrindo o seu campo de visão

Para fazer um lançamento "bombástico", ou seja, com muito alcance, não é possível pular nenhuma etapa do processo.

Neste capítulo, aprenda os primeiros passos para entender quem é a sua audiência e como construir o seu banco de dados. Esses dois passos já lhe farão enxergar novas possibilidades. Entenda também quais são os três pilares do lançamento. A grande maioria das pessoas gasta energia apenas no terceiro pilar, deixando o primeiro e segundo pilares para depois. Esse é um dos grandes pecados digitais!

Prepare-se para entender esses passos fundamentais para ter mais precisão em seus futuros lançamentos.

Oportunidades

Quando comecei a fazer lançamentos, parecia que estava com uma venda nos olhos! Não sabia quais eram as oportunidades que poderia encontrar pela frente. Iniciei os estudos para aplicar na imobiliária que eu trabalhava até então. Contudo, no meio do caminho, percebi que a entrega do produto físico não tinha como ter o alcance de um produto digital. Não poderia ser tão escalável! Por isso, decidir mudar o meu caminho...

Não quero que você comece como eu. Quero tirar agora a venda de seus olhos e apresentar as possibilidades que podem existir. Conheça três delas agora:

1º O especialista

O especialista é aquele que domina um assunto e tem condições de levar pessoas do ponto A ao ponto B por meio de suas explicações. Este especialista pode ser você mesmo ou você pode ser um "lançador" de especialista. Em ambos os casos, o especialista precisa gerar conteúdo de valor nas redes sociais, engajar o público e gerar demanda e desejo pela solução que carrega.

O especialista precisa ter uma "habilidade" para ensinar, a exemplo de maquiagem, nutrição, prática de exercícios físicos, entre outros infinitos temas.

2º O lançador

Caso não tenha nenhuma habilidade para ensinar, poderá ser o lançador. Assim como eu, o lançador é quem está por trás do especialista, ficando atrás das câmeras, gerenciando e elaborando as estratégias de um lançamento. O lançador é o cérebro da operação.

O lançador precisa "andar junto" com o especialista, tendo muita sinergia. Será responsável pela gravação, edição, copy, tráfego, páginas de venda, e-mail marketing, entre tantas outras funções.

Isso porque o especialista não deve pensar nessas atividades, e sim planejar a sua habilidade de ensinar algo para outras pessoas.

3º Agência de lançamentos

O lançador pode lançar mais de um especialista ao mesmo tempo. Sendo assim, ele se tornará uma agência de lançamentos. Esta verdadeira empresa pode ser remota ou física, será uma questão de escolha. Nesse mercado, funciona de ambas as formas.

Não queira escolher uma oportunidade neste exato momento, deixe o seu coração aberto. Por exemplo, comecei como lançador, depois parti para uma agência de lançamento e, por fim, também estou sendo um especialista. E ao mesmo tempo, consigo desempenhar bem o meu papel nas três frentes.

É natural você circular por essas três esferas:

Fique com a visão ativa para essas oportunidades! Um exemplo básico: houve uma época, que eu quis comprar um carro, o *Honda Civic*. Era incrível! Para todos os lados que eu olhava, apenas via esse modelo de carro. No entanto, não era porque só tinha esse carro na rua, mas, sim, porque estava com a visão ativa pensando neste modelo. A mesma coisa deve ser a sua visão em busca de oportunidades. Quando você mergulhar a fundo neste tema, ficará com a visão treinada para enxergar os melhores caminhos.

LEMBRE-SE!

Teste seu conhecimento

Entre os conceitos de especialista, lançador e agência de lançamentos, qual combina mais com você? Por quê?

Os pilares do lançamento

É muito importante saber os três pilares do lançamento. Não queime nenhuma etapa para que o lançamento dê resultados. São eles:

- **01 – Banco de dados**

É um armazenamento de informações e precisa estar ativo. São os dados do seu *lead*, ou seja, do seu potencial cliente, para quem deve prospectar. Sendo assim, sempre trabalhe com *landing pages* – páginas de captura –, a fim de colher dados dos *leads* e entender quem são. Nesta *landing page*, deve coletar: nome, e-mail e telefone.

Particularmente, gosto de mandar SMS e até fazer ligações. Ou, então, fazer grupos de Whatsapp – este último é ideal para as pessoas comparecerem nas *lives* de lançamento, por exemplo.

Mas qual dado é imprescindível? No mínimo, o e-mail. Acredite, e-mail ainda funciona! O nome é importante para personalizar ainda mais a estratégia. Nada melhor do que receber um e-mail ou SMS com o nome a quem se destina.

- **02 – Estratégia do lançamento**

Tendo os dados dos seus *leads*, você irá convidá-los para o seu evento/lançamento. Tem vários formatos de lançamentos: alguns trazem desafios; e outros fazem até *reality show*. Ou seja, formam a audiência para colocar em prática o terceiro pilar.

- **03 – Produto/entrega**

Deve-se ter muita cautela neste pilar. Um dos maiores pecados digitais acontecem neste terceiro pilar.

Por vezes, o especialista passa horas gravando, editando o material e, por conta da estratégia errada, tem zero vendas. Gastou uma grande energia para não ter lucro.

É preciso ter os pilares 1 e 2 muito definidos para então fazer o pilar 3. Caso contrário, não irá funcionar!

Coloque um período curto para realizar o curso em si (o pilar 3) e foque nas estratégias do seu lançamento. Ou, então, siga a ordem dos três pilares: após ter os pilares 1 e 2, aí sim você parte para a execução do pilar 3.

Modelo de M.V.P

O conceito é "Mínimo Viável do Produto". Ou seja, é o mínimo de energia que você gasta para fazer esse produto e vender. Com isso, você tem as primeiras impressões e os primeiros *feedbacks* do produto por parte do cliente. Com esse M.V.P, você consegue fazer melhorias no produto e entender se o conteúdo soluciona realmente uma dor/ necessidade que existe no mercado.

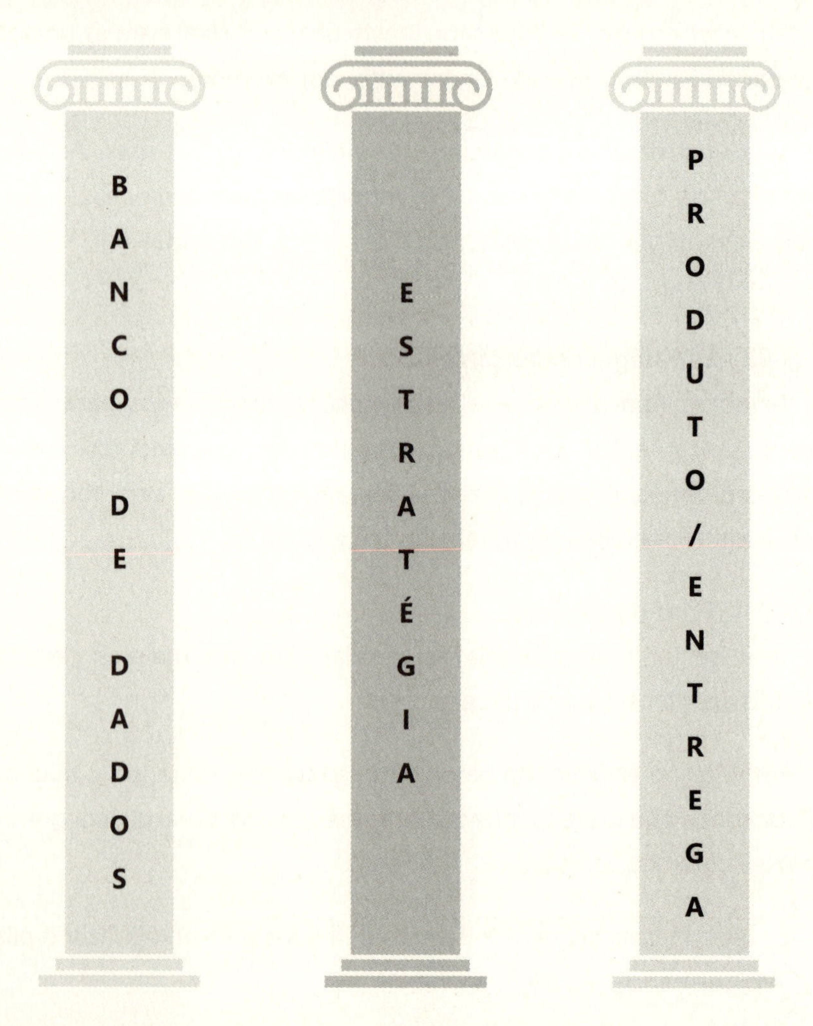

LEMBRE-SE!

Teste seu conhecimento

Você sabe o que é uma *landing page* (página de captura)? Pesquise sobre o assunto e anote as principais características aqui. Essa ferramenta será necessária para colher dados dos seus potenciais clientes.

Os níveis de consciência

Existem três tipos de consciência de cliente, porém muitas pessoas pensam que existe apenas um tipo. Veja essas ilustrações abaixo: xícara, taça e jarra.

XÍCARA
consciência total

TAÇA
consciência média

JARRA
nenhuma consciência

Na xícara, as pessoas sabem que têm a dor e estão procurando pela solução. Por exemplo, pessoas que precisam falar inglês e estão procurando escolas ou profissionais para aprender. A maior parte das empresas busca este perfil de cliente. Por isso, é um mercado muito competitivo para saber quem consegue esse cliente.

Já na taça, as pessoas sabem que têm a dor, porém não estão procurando. Exemplo: pessoas que sabem que precisam aprender inglês, mas não estão procurando nenhum auxílio. São as pessoas que sempre procrastinam.

E na sequência, temos a jarra – pessoas que nem possuem a consciência da dor/necessidade. Exemplo: elas nem sabem que possuem a necessidade de aprender inglês.

Na jarra, está a maior concentração de pessoas, sendo um mercado muito próspero para explorar. Sendo assim, a grande estratégia de lançamento é levar as pessoas que estão na jarra para a xícara, aumentando o nível de consciência delas. É preciso gerar demanda e desejo com *copies* e gatilhos mentais.

LEMBRE-SE!

Teste seu conhecimento

Quais são os 3 níveis de consciência do cliente? Qual o nível de consciência onde as empresas tradicionais e todo mundo atacam? Quais os níveis de consciência que eu devo atacar e por quê? O que é necessário fazer para mudar o nível de consciêcia dos *leads*?

Quando você faz vendas da maneira tradicional, você tem uma disputa muito grande, pois há uma imensa competição. Quando você faz lançamentos, é possível visualizar *leads* onde ninguém estava enxergando.

E como levar a pessoa que está na jarra para a xícara? Com conteúdo de qualidade, quebra de objeções e relacionamento. Você faz tanto conteúdo de valor para aumentar o nível de consciência do cliente que, em lançamento, você consegue transbordar de vender. Você disputa em uma área que ninguém está disputando.

Com as estratégias e as produções de conteúdo presentes neste livro, você conseguirá fazer esta transição de consciência do cliente. E por que o cliente vai comprar com você? Porque você gerou confiança e relacionamento com ele.

Estudo de persona

Para saber o melhor conteúdo para promover para os seus *leads* – as pessoas que já lhe seguem –, é fazer um estudo de persona. Ou seja, uma pesquisa com quem já gosta e consome o seu conteúdo.

Vejo profissionais que pulam essa etapa, sendo que ela é tão básica e simples de fazer.

Por melhor que você seja, está proibido de pular essa etapa. Por vezes, podemos achar que conhecemos bem o nosso cliente. Cuidado, você pode estar enganado!

No estudo de persona, é possível entender as dores, os medos e os desejos de quem está do outro lado. Quando você entende os sonhos dele, fica muito mais fácil de você se comunicar com ele.

Com a ferramenta Google Forms – que é gratuita –, você consegue fazer. Usando pesquisa nos *stories* do especialista, também é possível conseguir o estudo de persona.

Exemplo de Estudo de Persona:

Especialista em Micropigmentação

Fiz essa pesquisa para te conhecer melhor e poder criar mais conteúdos que vão te ajudar a aprimorar as suas técnicas, profissionalizar o seu negócio e aumentar os seus lucros.

Me ajuda a te ajudar! Não leva nem 2 minutinhos...

(As respostas são sigilosas e não serão divulgadas em nenhum momento.)

Qual é a sua idade?

( ) Menos de 18 anos

( ) 18 a 24 anos

( ) 25 a 34 anos

( ) 35 a 44 anos

( ) 45 a 54 anos

( ) 55 a 64 anos

( ) 65 anos ou mais

Sexo:

( ) Masculino

( ) Feminino

Qual a sua renda atual? (não é obrigatório responder e não será divulgado)

( ) Menos de R$ 1.000

( ) R$ 1.001 a R$ 2.000

( ) R$ 2.001 a R$ 3.000

( ) R$ 3.001 a R$ 4.000

( ) R$ 4.001 a R$ 5.000

( ) Acima de R$ 5.000

(com esta informação, é possível saber o valor da parcela do curso online, por exemplo).

Há quanto tempo você é micropigmentador(a)?

( ) Há menos de 1 ano.

( ) Entre 1 e 2 anos.

( ) Entre 2 e 3 anos.

( ) Mais de 4 anos.

( ) Ainda não atuo na área.

(com esta informação, é possível saber o nível de consciência do *lead*. Se for micropigmentador há menos de 1 ano, deve ter muitas dúvidas iniciais. Já se tiver mais de 4 anos, os conteúdos serão mais detalhados, e não muito básicos. Enfim, é possível entender o nível de profundidade dos conteúdos que devem ser ensinados).

Qual é a sua maior dificuldade? (pode escolher mais de uma opção)

( ) Aprimorar as técnicas de micropigmentação

( ) Gerir o meu negócio

( ) Captar novos clientes

( ) Aumentar o meu rendimento/lucro

( ) Outro: ______________________________

(com esta informação, é possível saber o tipo de conteúdo que deverá produzir. Se é sobre a técnica, atendimento, gestão do negócio...)

Se você tivesse uma hora pra conversar pessoalmente comigo sobre micropigmentação, qual pergunta você me faria?

____

____

(aqui, a pessoa irá abrir o coração dela com você! Essa pergunta não deve faltar, claro que adaptada para o seu negócio).

Existe algum assunto específico que você gostaria que eu abordasse mais? Explique aqui para eu conseguir te ajudar.

____

____

O ideal é fazer essa pesquisa com o seu banco de dados, podendo ser enviada por e-mail, em um grupo de Whatsapp ou Telegram. Poderá colocar também no link da bio do Instagram do especialista, bem como nos *stories* com a *call to action* (chamada para a ação) para a pesquisa.

Aprenda mais um estilo de Estudo de Persona para o seu negócio:

Base

A base é muito diferente do que Banco de Dados. No banco de dados, você já capturou as informações sobre o *lead* (nome, e-mail e telefone). Já a base refere-se à sua audiência crua das redes sociais (exemplo: seus seguidores no Instagram; pessoas que curtiram sua fanpage; ou os inscritos em seu canal do Youtube).

Contudo, como fazer a base aumentar? Faça o estudo da persona e, com os resultados, produza conteúdo de valor de impacto e alta qualidade. Com isso, você aumenta a base e o nível de consciência dessa audiência, facilitando assim o nível de conversão de seu lançamento.

Além disso, existem duas formas de aumentar a sua base:

• **orgânica:** fazer a produção do seu conteúdo sem gastar nada em tráfego pago. O ponto positivo é que você não investe nada, porém o ponto negativo é você não alcançar mais pessoas e nem definir o público que gostaria de alcançar.

• **tráfego pago:** pagar para que o seu conteúdo seja distribuído com mais alcance. Você tem a possibilidade de definir o público para quem deve receber o seu conteúdo. Exemplos: definir o gênero, faixa etária, localização e interesses.

Com o tráfego pago, você acelera o crescimento da sua base. Essa é a grande vantagem.

LEMBRE-SE!

Teste seu conhecimento

Qual o diferencial entre banco e base de dados?
Qual a melhor forma de aumentar a base de dados?
Quais pontos positivos e negativos do crescimento orgânico e com tráfego pago?

Capítulo 3

Criando meu banco de dados

Você tem um banco de dados? Ou seja, um contato direto com seus possíveis clientes? Não? Então, neste capítulo, apresento uma estratégia infalível para conquistar *leads*.

Contudo, não adianta apenas criar o banco de dados. É necessário, nutri-lo para ativar gatilhos que levarão para a compra de seu produto ou serviço.

Como aumentar a base

Para aumentar a sua base (audiência nas redes sociais), é necessário fazer conteúdo de impacto e relevância. Isso porque as pessoas irão gostar e sempre estarão ali, aprendendo todo dia com você! Por isso, gere muito conteúdo de valor com *stories, lives*, dicas no *feed*... E tenha constância.

Vale lembrar que existem duas formas de atrair a atenção das pessoas nas redes sociais:

• uma é com entretenimento, piada e coisas engraçadas;

• outra é com conteúdo de relevância, que transforma a pessoa que está assistindo do outro lado.

Por meio da pesquisa ensinada no capítulo anterior, você consegue ter ideia de diversos conteúdos para fazer e postar. Afinal, nada melhor do que conhecer as dores da audiência, para levar as melhores soluções à ela.

Outra dica é ter repertório. O que isso significa? Estude e pesquise diversas ideias e conteúdos e cruze essas informações para ter algo exclusivamente seu. Acesse, por exemplo, o Youtube e pesquise perfis que são referências no segmento que atua. Analise quais foram os vídeos que tiveram mais visualizações dentro desses perfis. Abra uma planilha e coloque os 50 vídeos mais "bombados" na sua área. Você perceberá que alguns conteúdos são bem parecidos, pois são temas e abordagens que possuem relevância para as pessoas.

Não estou falando para você "copiar e colar", mas sim para construir repertório. Em cima disso, crie seu estilo, o seu modelo. Assim, você consegue gerar conteúdo para nutrir a sua base. E atenção: o maior ouro de todos está nos comentários que deixam nesses vídeos de referência! Isso porque revelam a sensação que os vídeos geraram no público. Atente-se aos comentários.

Para completar, pergunte sempre nos *stories* os tipos de conteúdo que querem consumir em seu perfil. Interaja, faça perguntas criativas!

Garanto que, com essas estratégias, sua cabeça explodirá com a criação de tantas possibilidades de conteúdo. Acredite, criatividade e novas ideias nascem de conceitos que já existem.

LEMBRE-SE!

Teste seu conhecimento

Explique como você pode ser intencional para provocar o crescimento da sua base.

Por que criar um banco de dados

Vale frisar a diferença entre base e banco de dados. A base refere-se à audiência nas redes sociais, os seguidores. Já o banco refere-se aos dados mais apurados dos seus *leads*, como nome, e-mail e telefone. O banco pode vir da própria base, como de outros meios de captura, como das chamadas *landing pages*.

Exemplo: você tem 1.000 seguidores no Instagram. Ao fazer um post, tem uma "pessoa" entre você e a sua audiência. Essa pessoa é o algoritmo, uma ferramenta nas redes sociais que identifica se o seguidor tem interesse ou não pela sua postagem. Por que a rede social faz isso? Porque é uma forma de monetizar, ou seja, cobrar para entregar o seu conteúdo para mais pessoas, a fim de possibilitar um alcance maior.

LEMBRE-SE!

Teste seu conhecimento

Qual a diferença entre base e banco de dados? Explique com as suas palavras.

Isso acontece quando você se comunica com a sua audiência, diferentemente do que acontece quando você fala com o seu banco de dados. Isso porque, neste último, você possui os contatos diretos da pessoa que tem interesse pelos seus conteúdos. Ou seja, não passará por nenhum intermediador. Por isso, é tão relevante construir o seu banco de dados. Tendo uma comunicação direta não existe nenhuma possibilidade de ruído, a mensagem fica "limpa".

E com esse relacionamento com o banco de dados, é possível gerar a reciprocidade, ativar a gratidão, além de obter microrresultados. E, na última etapa, quando você lançar o seu produto, será muito mais fácil converter.

Fica muito difícil construir um relacionamento com quem você não tem o contato direto, quando existe um algoritmo no meio de campo. Aprenda, no próximo tópico, como "eliminar" essa interferência.

O fluxo para criar o seu banco de dados

Provavelmente você já passou por este fluxo, mas não se deu conta. Vamos apresentá-lo:

1. Anúncio (chamado também de AD)

Exemplo nos *stories*: quer aprender marketing digital? Então, clique no link e cadastre-se na "Semana do Marketing Digital". Lá, eu vou te ensinar a fazer dinheiro pela Internet.

2. Página de captura (conhecida como *Landing Page*)

Quando a pessoa clica no link, ela será direcionada para uma página. Nesta, terá uma *headline*, a exemplo de: "Aprenda a fazer dinheiro pela Internet com Marketing Digital".

Ainda nesta página, tem um formulário de descrição, o qual solicita nome, e-mail e telefone (ou, no mínimo, e-mail). Ao clicar em "cadastrar", é possível ser direcionado para a página de "obrigado".

Ao fazer esse cadastro, a pessoa deixa dados para o seu banco (e-mail marketing).

3. Página de "obrigado"

Nesta página, estará escrito: "Muito obrigado, falta apenas um passo!". E, então, convida: "Para que você receba todas as informações do nosso evento, clique no botão abaixo e participe do nosso grupo de WhatsApp ou Telegram".

4. Grupo de Whastapp ou Telegram

Nele, a comunicação será direta e sem intermediador. Você pode gerar ainda mais relacionamento para, então, fazer a sua oferta.

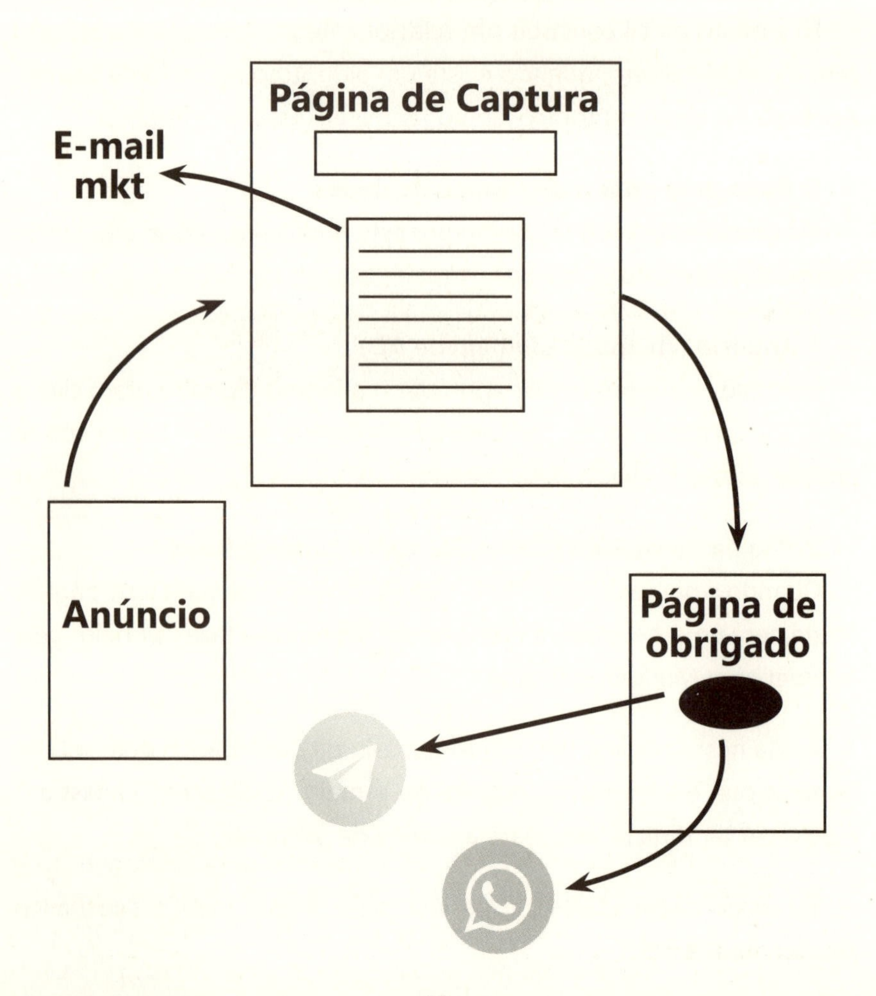

Veja o processo com mais detalhes:

1º passo:

É um anúncio (ou criativo), preferencialmente em vídeo, chamando a pessoa para o evento (geralmente 100% online e 100% gratuito). Neste anúncio, tem um botão para se cadastrar ou saber mais.

Exemplo:

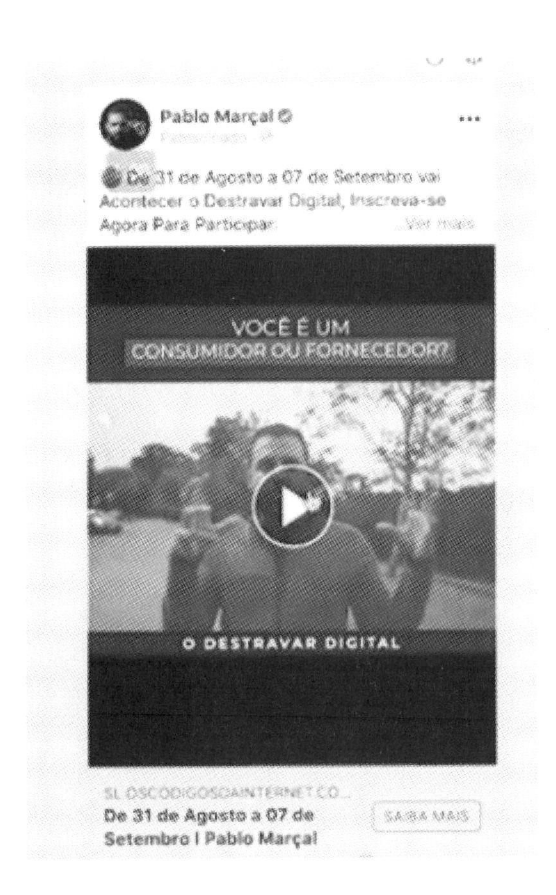

2º passo:

Landing page. Clicou no "Saiba mais", automaticamente, será direcionado para uma página de captura. A função é cadastrar os dados. Nesta página, ainda poderá ter informações do evento (dizendo que é online e gratuito) e quem está por trás deste evento (para gerar autoridade).

Exemplo:

3º passo:

Página de "obrigado", convidando para receber mais informações por meio de um grupo de Whatsapp.

Exemplo:

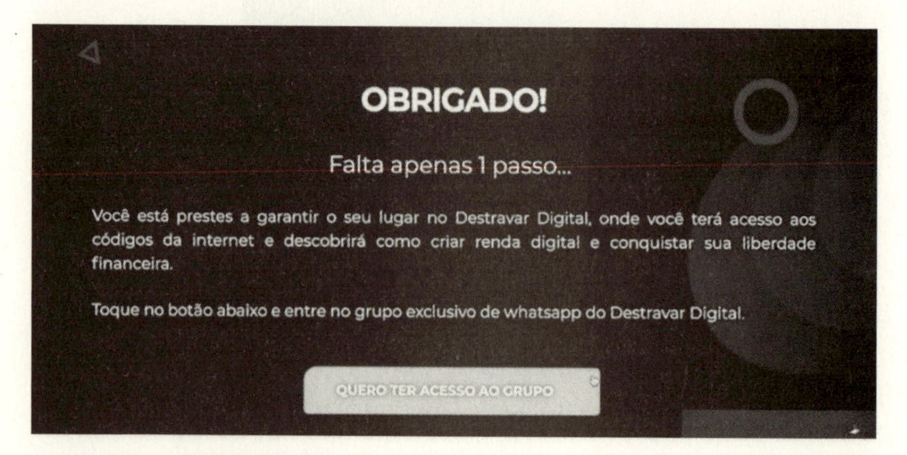

Dica: você como lançador, eu não recomendo fazer essas páginas de captura. Pague alguém para fazê-las para você. Fica muito mais interessante pagar um especialista para fazer essas páginas do que você consumir sua energia tentando fazer. Delegue para um webdesigner, pois seu foco tem que estar em outro lugar: nas estratégias!

Aproveite sempre a sua base e use a chamada CTA (*Call to Action*), pedindo para clicar no link (da bio ou dos *stories*) para receber todas as informações no grupo do Whatsapp ou Telegram. Com esse passo prático, você vai construindo o seu banco de dados.

LEMBRE-SE!

Teste seu conhecimento

Quais são as 3 etapas necessárias para captação de *lead*? Descreva-as abaixo.

A importância de se relacionar e nutrir o seu banco de dados

Não adianta criar um banco de dados, mas não se relacionar com ele e nem nutrir. Ou seja, você já tem um banco de dados com seus *leads* (futuros compradores) e precisa manter um relacionamento com eles. Caso contrário, toda a estratégia não será útil.

Tendo esse canal direto, é preciso se comunicar sempre. O gatilho emocional mais poderoso que existe é o da reciprocidade. Ou seja, você faz algo de muito bom para alguém e este por sua vez quer lhe devolver esse bem de volta. É natural do ser humano. Quando alguém lhe faz algo muito bom, é natural querer retribuir de alguma forma. Sendo assim, neste banco de dados, você sempre deve deixar as pessoas gratas por você.

Como você vai nutrir? Resolvendo as dores do seu banco de dados, além de gerar valor para a vida dessas pessoas. A gratidão será certa, porém tem um tempo para acontecer. Por exemplo, se alguém troca um pneu do seu carro hoje, daqui a seis meses, você nem lembrará. Isso porque a vida é repleta de interferências e acabamos esquecendo. Por isso, os conteúdos de valor precisam ser constantes para que a gratidão também seja.

É o mesmo que acontece em um relacionamento. Quando o marido, por exemplo, dá um buquê de flores para a esposa, ela ficará muito feliz, grata e irá desejar retribuir. Contudo, após seis meses, ela já não lembrará. O carinho deve ser constante para ela querer lhe retribuir sempre. É a mesma coisa com o seu relacionamento no banco de dados.

Então, está aí um dos erros dos lançadores: ter o banco de dados, não nutrir o relacionamento e lançar o produto. É preciso sempre gerar valor para que as pessoas nunca esqueçam de você. Mesmo após o lançamento, é preciso interagir com elas, pois, em um próximo lançamento, os dados ainda estarão quentes. Ter que criar novamente do zero um banco de dados dificultará o processo.

Pode ser que, no primeiro lançamento, as pessoas não comprem.

Contudo, elas podem comprar no terceiro ou no quarto lançamentos. Está aí a importância de sempre nutrir o banco.

Qual é a frequência ideal para nutrir o seu banco de dados? No mínimo, uma vez por semana e, no máximo, um por dia. Isso dependerá muito do seu público. Analise o vínculo que você deseja criar e qual a aceitação da sua audiência para isso.

Também não adianta gerar conteúdo sem ter valor. Tem que ser, de fato, um conteúdo que irá ajudá-la. Está aí a importância, mais uma vez, da pesquisa já ensinada para saber, de fato, o que o público espera de você.

LEMBRE-SE!

Teste seu conhecimento

Explique a diferença do banco de dados ativo e inativo. Pesquise também o que é o gatilho da reciprocidade e explique como o tempo pode interferir nesse gatilho.

O que são gatilhos mentais

Os gatilhos mentais realmente funcionam e recebemos esses gatilhos constantemente. É como a fome que é algo intrínseco do ser humano. Mesmo que você não queira sentir fome, se você não comer, sentirá. Assim acontece com o nosso cérebro ao se deparar com os gatilhos mentais. Ou seja, mesmo que você conheça todos os gatilhos mentais, ainda assim eles funcionarão no seu cérebro.

Gatilhos mentais são palavras ou frases persuasivas que ativam as emoções da pessoa para levá-la a tomar uma decisão. Ou seja, é um facilitador para se decidir.

O cérebro é preguiçoso e, em todos os instantes, ele quer economizar energia. O cérebro quer preservar energia, isso é natural do ser humano para manter a sobrevivência. Por conta disso, ao ativar alguma emoção, fica mais fácil tomar alguma decisão.

Por exemplo, se sua mãe lhe indica um médico, você – por preguiça de consultar um bom médico e por confiar muito na sua mãe –, sem contestar, você agenda com a indicação dela. Esse gatilho é da autoridade, ou seja, você tem plena confiança em sua mãe.

Essa mesma autoridade pode ser transmitida para sua audiência por meio de resultados, clientes satisfeitos e ótimos números. Isso passa a confiança.

Quando o cliente pergunta: "Será que isso funciona mesmo?" ou "Será que isso funciona para mim?", a prova social é muito eficaz. Ela se traduz em depoimentos de pessoas que já experimentaram seu produto ou serviço e validaram. Assim, a pessoa tende a pensar: "Se foi útil para ela, pode ser para mim também" ou "Se 100 pessoas conseguiram, é porque aquela metodologia funciona".

É importante frisar que, quando compramos um produto, significa que o valor percebido é muito maior que o preço. Ou seja, há a sensação que vale muito mais a pena comprar do que não comprar.

Por exemplo, ao comprar um celular de última geração, apesar do preço alto, você entende que está fazendo um bom negócio por tudo que está agregado.

Por que estou dizendo isso? Porque os gatilhos mentais aumentam, e muito, o valor percebido de um produto ou serviço, fazendo as pessoas desejarem comprar. Quando o produto está com as "últimas unidades", você (ou o seu cérebro) vai querer passar na frente para não ficar sem. É agora ou nunca! Trate-se do gatilho da escassez.

Como os gatilhos são muito importantes, serão apresentados mais detalhes sobre eles nas próximas páginas.

LEMBRE-SE!

Teste seus conhecimentos

Qual a definição de gatilhos mentais?
Explique a diferença entre valor percebido e preço e como isso influencia na decisão de compra.

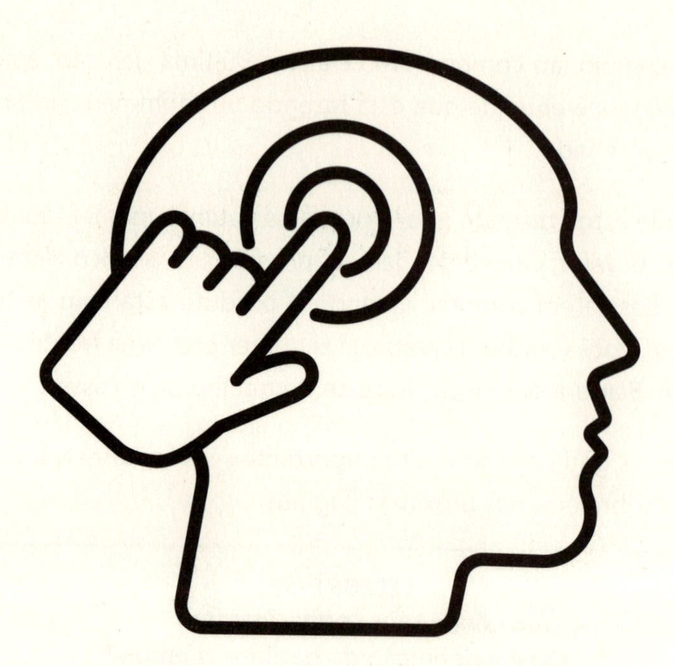

O Poder dos Gatilhos Mentais

Capítulo 4

Gatilhos mentais

Por vezes, ficamos indecisos para tomar uma decisão. Já aconteceu isso com você? Pois saiba que existem alguns gatilhos mentais poderosos que nos ajudam nesta tomada de decisão.

No marketing digital, esses gatilhos são cruciais em suas estratégias. Na verdade, eles devem fazer parte do seu dia a dia. Conheça, neste capítulo, os mais persuasivos.

Escassez, antecipação e urgência

É muito importante usar os gatilhos mentais de forma consciente e intencional em suas *lives*, seus *stories* e no seu dia a dia como um todo. Com isso, a sua fala e a sua oratória ficarão muito mais persuasivas. Abaixo, tome nota dos mais importantes:

- **Escassez**

Quando algo é escasso, ou seja, finito, torna-se mais importante e relevante. Naturalmente, o ser humano dá mais atenção. Por exemplo, por conta da pandemia, a produção de carros ficou mais escassa. Então, quando fui comprar um carro, não pude demorar para decidir, não podia perder a oportunidade, pois estava escasso! Pensei: "Ou eu compro agora ou somente tem mais três carros do modelo que quero no Brasil inteiro".

Além disso, baseado na lei da oferta e da procura, tudo que é escasso tem o preço mais alto. Sendo assim, quando seu curso ou a sua mentoria tem escassez, as pessoas dão mais valor. Portanto, elas são forçadas a tomar a decisão mais rapidamente.

- **Urgência**

A urgência está ligada ao tempo. Exemplo: "As inscrições serão encerradas às 23h59". Em alguns e-commerces, por exemplo, na página de venda, há um relógio com contagem regressiva para aproveitar o preço. Isso traduz a urgência. O seu tempo está acabando, corre! Isso impulsiona a decisão da audiência.

- **Antecipação**

Anuncie quantos dias faltam para acontecer o lançamento. Exemplo: "Faltam 7 dias para o grande evento". Assim, quando você antecipa, sempre lembra a audiência que ela não pode perder.

A vida é muito corrida, há muitas interrupções durante o dia e, por consequência, acabamos esquecendo de várias coisas. Por isso, é fundamental usar esse gatilho para sempre lembrar. Com isso, as chances do público comparecer são muito maiores.

Um trailer de filme é uma antecipação: "Dia 08 de novembro nos cinemas". Após cenas bem emocionantes, esse gatilho gera o desejo de não perder a data de lançamento.

LEMBRE-SE!

Teste seu conhecimento

Nas linhas abaixo, analise todos os gatilhos mentais já ensinados e identifique-os aqui:

Prova, prova social e autoridade

Autoridade

Imagine esta cena: você está em um hospital e sente a necessidade de ir ao banheiro. Ao se levantar para ir, depara-se com um homem de camiseta preta e calça jeans e pergunta: "Moço, onde é o banheiro?". Ele, por sua vez, responde: "Vire à direita".

Esta cena acontece novamente, porém você se depara com um homem de jaleco branco e estetoscópio e pergunta: "Doutor, onde é o banheiro?". Ele também responde: "Vire à direita".

Por que em uma situação você chama de "moço" e, na outra, de "doutor", sendo que o homem poderia ser até o mesmo, porém com trajes profissionais. Onde está a autoridade? No homem ou na roupa dele?

Nem no homem e nem na roupa. A autoridade é uma percepção que você tem. Isto é, a autoridade está na cabeça de quem interpreta.

Muitas pessoas sabem que eu sou autoridade em lançamento. Essa autoridade é consolidada por meio dos resultados que eu apresento em meus lançamentos. Eu posso ter provocado essa percepção na minha audiência ou ela deduziu em cima de dados.

Como você pode criar essa autoridade nas redes sociais? Com conteúdo de qualidade, mostrando os seus próprios resultados ou o de seus alunos. Assim, as pessoas vão criando as percepções que têm em relação a você.

Exemplo: o Pablo Marçal é uma autoridade em inteligência emocional e finanças, pois ele expõe isso e consolida a sua autoridade.

Se eu quiser vender um curso de crochê, não será possível, pois eu não tenho autoridade em crochê, eu não lhe passo essa mensagem. Agora, se eu soubesse fazer crochê e divulgasse a minha arte constantemente, conseguiria transmitir autoridade sobre isso.

Prova & Prova social

Uma das melhores maneiras de construir autoridade é fazer uma prova. Exemplo: o depoimento de um aluno. "Puxa, consegui fazer seis dígitos após fazer o curso do Marcos Paulo. Uau, o cara é muito fera!" – isso é uma prova.

Quando nós mesmos falamos que o nosso conteúdo é bom, pode parecer até arrogância ou superioridade. Contudo, quando alguém fala por nós, conseguimos virar autoridade no assunto.

Já a prova social é quando não apenas uma pessoa está falando sobre você, mas sim várias pessoas comunicam a mesma mensagem. Exemplo: 300 a 500 alunos falando muito bem de um determinado curso de sua autoria. Logo, o "social" refere-se à sociedade, ou seja, várias pessoas falando o mesmo conceito.

Pense nessa seguinte cena: "Você chega em uma rua e tem duas pizzarias. Em uma delas, tem uma única pessoa comendo. Já na outra, tem uma fila enorme na lista de espera". Qual pizza você terá mais desejo e curiosidade em consumir?

É natural que, nesse cenário, o nosso subconsciente pense: "Uau, deve ser muito gostosa a pizza do local que está cheio". Por consequência, é lá que você vai querer ir. Não é necessário nem experimentar a pizza. Apenas pelo fato de você ver essa cena, o seu subconsciente já deseja devorá-la.

LEMBRE-SE!

Teste seu conhecimento

Nas linhas abaixo, analise os gatilhos mentais de prova, prova social e autoridade e descreva-os aqui em suas palavras.

Especificidade, Por que e Interação

Você já reparou que, quando alguém conta uma mentira, tende a ser evasiva, ou seja, bem geral? O mentiroso, para não se atrapalhar, não usa nenhuma abordagem específica. Já reparou nisso? Sendo assim, quando você faz uma abordagem bem específica e detalhada, você começa a imaginar todos os detalhes, trazendo mais clareza e veracidade na informação apresentada, além, é claro, de transmitir mais confiança.

Sendo assim, ao apresentar um produto, saiba tudo sobre ele e dê todos os detalhes. Quanto mais especificações, mais as pessoas entendem que você domina muito o assunto. A ordem é então apostar na especificidade.

Por que

Outro item muito importante em sua abordagem é sempre explicar o "Por quê". Veja os exemplos abaixo:

a) Lançamentos e venda de infoprodutos são um dos melhores negócios do século XXI e eu acho que é por isso que você deve fazer.

b) Lançamentos e venda de infoprodutos são as melhores coisas que você deve fazer no século XXI, principalmente na pós-pandemia. Vou te explicar o porquê disso! Você só precisa ter conexão com Internet, um computador e um celular. Tem especialistas em abundância para você lançar ou, então, você mesmo pode ser o especialista. E o principal motivo: é um estilo de negócio que pode ser vendido em grande escala sem aumentar os custos para tal. Então, você consegue lucrar bastante.

Qual das abordagens soa mais interessante para você? Repare que, na segunda, ainda tem relatos de especificidade para agregar ainda mais valor ao "porquê".

Na segunda abordagem, a sua fala fica mais persuasiva, fazendo com que a pessoa que está escutando tenha mais facilidade em tomar uma decisão.

Interação

Outro gatilho muito poderoso é a interação. Você já percebeu que, quando está em uma palestra e o orador diz que fará perguntas aos participantes, todos automaticamente se ajeitam na cadeira e prestam mais atenção? Quando é um monólogo, pode ser que a pessoa que está assistindo fique com sono, vá com os pensamentos para longe, mas nada de prestar atenção.

Por isso, em suas *lives*, sempre pergunte coisas para as pessoas poderem interagir. Desativar os comentários não é uma boa opção. As pessoas precisam interagir para se movimentarem. Por isso, lance mão de "caixinhas de perguntas" em seus *stories* e responda, uma a uma, a todas que chegarem. Os seguidores se sentem mais participativos do seu universo, conectando-se muito mais.

Novidade, Evento e História

Você já foi fazer algo pela primeira vez e sua mão começou a suar e deu até "borboletas no estômago"? Já sentiu isso? Se sim, é porque era um gatilho da novidade. Quando você vai fazer algo pela primeira vez, o seu cérebro libera alguns hormônios que o fazem ficar ansioso.

"Qual foi a última vez que você fez algo pela primeira vez?" – essa pergunta é célebre para usar e se relacionar. Isso porque a novidade é algo que prende a atenção das pessoas. Ser humano adora uma novidade! Até mesmo em seus lançamentos, quando usa sempre o mesmo nome para o evento, tende a ficar chato. As pessoas gostam de novidade!

Tudo que é padronizado demais acaba perdendo performance no mundo dos lançamentos. Tudo que é algo inédito chama mais atenção. Por isso, deixe de ser previsível em suas *lives* e lançamentos como um todo. Acredite, pode ser o mesmo lançamento, por exemplo, mas você muda o nome e já garante um toque diferente. Exemplos:

"Semana do Inglês";
"Semana da fluência em Inglês";
"Semana do Inglês do zero ao avançado".

Só o fato de mudar um pouco o nome já garante um ar de novidade. Contudo, tente explorar outras novidades, e não apenas o nome, como interações diferenciadas e os próprios conteúdos, agregando mais itens na abordagem principal.

Evento

O próprio lançamento é um evento com data de início e término. Ou seja, é um tempo fechado. Se a pessoa não aproveitar esse "tempo fechado", ele acaba. O evento tem uma urgência e é escasso. Quando você trabalha a ideia de evento, as pessoas se preparam para estar lá.

História

Lembra que, quando você era pequeno, sua mãe lhe contava histórias para você se acalmar antes de dormir? A cada detalhe, você começava a imaginar e gerava uma emoção.

Sendo assim, histórias são feitas para prender a atenção das pessoas. E quanto mais gatilhos da especificidade, mais interessante esta história fica. Por exemplo, o ser humano fica em uma sala escura e fria e nem vê duas horas se passarem, não é mesmo? Essa sala é o cinema, mas a história do filme é tão envolvente que o ser humano não se incomoda de estar ali.

O melhor artifício para ensinar alguma coisa é por meio de histórias. Você passa conhecimento, muitas vezes por meio de metáforas, mas o resultado é certeiro. Se você conseguir colocar a pessoa que está escutando a história como um personagem do enredo, para ela se imaginar em toda a narrativa, a história ficará ainda mais persuasiva, já que irá gerar conexão.

LEMBRE-SE!

Teste seu conhecimento

Como você considera que pode transmitir o seu conteúdo contando uma boa história? Descreva um exemplo aqui.

Reciprocidade e Pertencimento

O gatilho mental mais poderoso de todos é a reciprocidade. Quando alguém lhe deixa feliz com alguma coisa, é natural ficar grato e querer retribuir. Faça o teste com uma criança. Quando você dá à ela o presente que ela tanto queria, ela ficará imensamente feliz e te abraçará. Vai querer retribuir de alguma forma toda a felicidade que você proporcionou à ela. Ou seja, a reciprocidade é natural do ser humano. A criança pequena não sabe o que é gatilho, mas, mesmo assim, reage por instituto. O gatilho da reciprocidade funciona, mesmo você não sabendo que ele está agindo.

No mundo online, você precisa gerar conteúdo de abundância e com qualidade. E esse conteúdo vai gerar valor para as pessoas, aumentando o nível de consciência delas. E quando ela decidir comprar um produto que tem a solução que você carrega, você acha que ela vai comprar de quem? Certamente, de quem a ajudou, pois o gatilho da reciprocidade virá à tona.

Gere muito conteúdo em suas redes sociais sem querer nada em troca, mas saiba que, naturalmente, quando você lançar algum produto, as pessoas irão lhe procurar. A venda será uma consequência.

Cuidado apenas com o *time*, pois as pessoas tendem a esquecer a ajuda. Por isso, tem que ser constante o valor para a audiência. Por isso, quando alguém lhe der um depoimento sobre o seu trabalho, pergunte se ele pode fazer uma "prova" (um depoimento em vídeo, por exemplo). A energia positiva tem que vir no momento. A gratidão dele estará lá em cima, aproveite!

Pertencimento

O gatilho de "tribo", comunidade ou pertencimento também é muito importante. As pessoas sentem a necessidade de fazer parte de uma tribo, de pertencerem a um movimento. Por exemplo, em um evento sertanejo, é muito parecido a forma como todos se vestem. Isso porque o ser humano tem a necessidade da identificação.

O ideal é ter um estilo apenas seu. Use e abuse de palavras e expressões autorais. Isso é o que faz gerar o movimento. É uma tribo buscando uma causa. Todos se conectam porque têm os mesmos sonhos e desejos. Há a tão sonhada conexão e engajamento.

LEMBRE-SE!

Teste seu conhecimento

Faça uma análise de qual é o seu estilo e qual movimento pode gerar para atrair ainda mais a sua audiência.

Capítulo 5

Desafio do seu primeiro lançamento

Está lançado o desafio: você tem 30 dias para fazer o seu primeiro lançamento. Em vista disso, será apresentado, neste capítulo, um cronograma de ações, além de alinhamentos e expectativas.

Quer saber tudo o que precisa fazer para aquecer sua audiência? Então, conheça as fases do lançamento e prepare-se com toda a sua energia!

Comece a agir...

Eu já vi pessoas fazendo R$ 30 mil em um primeiro lançamento e ficarem decepcionadas. E já vi algumas fazendo R$ 1.000 em um primeiro lançamento e ficarem empolgadas, com uma alegria estonteante. Por quê? Pois tem um alinhamento de expectativas. Quando você está com a previsão correta, não há frustação e o processo continua.

Qual é o objetivo do primeiro lançamento?

- aprender todo o processo;
- jornada do primeiro lançamento;
- virar uma chave na sua cabeça ao executar (e não viver apenas a teoria);
- fazer a venda (se fizer a venda, ótimo! Caso contrário, você entendeu todo o processo, o que, neste momento, é muito valioso);
- não mudar a data.

Confesso que, em meu primeiro lançamento, fiz R$ 3.000, sendo que o ticket era em torno de R$ 300 (foram aproximadamente 8 a 10 vendas). Tenho amigos que fizeram "zero" vendas no primeiro lançamento e, atualmente, são lançadores de alta classe, de múltiplos 7 dígitos.

Então, é normal se você não fizer venda logo no primeiro lançamento. Assim que você fizer a primeira venda, mudará a sua mente. Acredite, a minha primeira venda foi melhor do que o meu primeiro milhão. Eu vibrei: "Uauuuu, funciona mesmo!".

É importante firmar uma data e não mudá-la. Não procrastine, deixando para depois. Mesmo que não tenha as condições perfeitas, faça o lançamento.

As fases de um lançamento

Existem 4 fases para um lançamento:

1- Relacionamento

O lançamento pode converter muito melhor quando você já tem relacionamento com a sua audiência. Lembra da jarra, da taça e do copo? Ou seja, gerar valor para aumentar o nível de consciência

LEMBRE-SE!

Teste seu conhecimento

Ficou claro que pode acontecer de você não vender nada em seu primeiro lançamento, mas que mesmo assim está tudo bem? Faça aqui o seu alinhamento de expectativas.

da audiência. Quanto mais fizer isso, mais qualificada estará a sua audiência para fazer o lançamento. Com isso, a sua taxa de conversão tende a ser mais alta. Sendo assim, quem tem zero audiência será mais difícil de vender.

Conforme explicado no Capítulo 3, é possível capturar o "*lead* frio", ou seja, aquela pessoa que não te segue, porém você impulsiona um vídeo com seu anúncio convidando para uma semana de *lives* ou um webinário, cadastrando esses *leads* para fazer a oferta.

Contudo, o processo é muito mais simples quando você já tem a audiência qualificada e o relacionamento constante.

2- Preparação do lançamento

Quando você cria o banco de dados e faz a pesquisa de avatar, entende quem é o seu público. Com isso, já faz algumas publicações estratégicas para aumentar o nível de consciência da audiência.

A estratégia também é antecipar o anúncio do seu lançamento, avisando que acontecerá a "Jornada Gratuita do Marketing", por exemplo.

Nesta fase, é muito importante nutrir sua audiência, seja pelas redes sociais, e-mails ou grupos do Telegram ou Whatsapp.

- **Lançamento**

Pode ser uma sequência de quatro dias de lives no Youtube ou, então, um webinário (um único encontro online ao vivo). Lembre-se: lançamento é o evento onde você venderá no final.

- **Venda**

Após o lançamento do evento, você abre o carrinho. Aqui, você pode fazer o re-marketing com os dados capturados nas fases anteriores, ou seja, mandar mensagens persuasivas para converter.

- **Entrega**

É uma fase de pós-lançamento, mas você tem que entregar um bom produto para que os seus alunos tenham resultados. Com essa etapa, você pode colher muitas provas sociais.

Exemplo de cronograma de lançamento:

Dias 12/10 a 10/11: Relacionamento (observação: a fase de relacionamento é eterna)

Dias 19/10 a 10/11: Preparação para lançamento

Dia 11/11: Lançamento

Dias 11 a 13/11: Vendas

Dom	Seg	Ter	Qua	Qui	Sex	Sáb
				1	2	3
4	5	6	7	8	9	10
11	12	13	14	15	16	17
18	19	20	21	22	23	24
25	26	27	28	29	30	31

Dom	Seg	Ter	Qua	Qui	Sex	Sáb
1	2	3	4	5	6	7
8	9	10	11	12	13	14
15	16	17	18	19	20	21
22	23	24	25	26	27	28
29	30	31				

——— Relacionamento
------- Preparação para lançamento
··········· Lançamento
~~~~~~ Vendas

Obs.: a fase de relacionamento é eterna.

LEMBRE-SE!

Teste seu conhecimento

Quais são as 4 fases do lançamento? Explique cada uma das fases. Tem como fazer lançamento ignorando a fase de relacionamento? Se sim, quais serão os pontos negativos?
~~~~~~

A fase de relacionamento

Você sempre terá que se relacionar com a audiência. Muitas pessoas apostam apenas no "*lead* frio", mas a taxa de conversão é bem menor. O relacionamento é fundamental para ter mais retorno em dígitos. O jogo do relacionamento é o mais fácil de ter sucesso.

Como manterr o relacionamento com a audiência?

> Se você tiver mais destaque no Instagram:

- no mínimo, duas *lives* por semana;
- um post no *feed* por dia;
- *stories* diários frequentes;
- três caixas de pergunta por semana nos *stories*;
- um vídeo no canal do Youtube (esse vídeo tem que ser teoricamente maior do que vídeos do Instagram, já que a plataforma pede isso. Tempo ideal: no mínimo, 7 minutos, com conteúdo mais denso).

> Caso tenha mais destaque no Youtube:

- abasteça o seu canal com três vídeos por semana;
- complementando com 1 post no *feed* no Instagram por dia;
- 2 caixas de perguntas nos *stories* do Instagram.

> Já se o seu foco é no Facebook:

- faça 2 posts no *feed* da fanpage do Facebook;
- 3 *lives* por semana no Facebook;
- 1 post por dia no *feed* do Instagram.

Esta receita é eterna e é básica para você começar. Quando isso já tiver bem ativo, é necessário amplificar isso. Essa fase é crucial para qualificar a audiência e captar *leads* e, assim, ter alta taxa de conversão.

Mas o que colocar nessa imensidão de posts?

Você é o especialista ou então está lançando o especialista. É necessário gerar conteúdo que leve a audiência dos pontos A ao B, ou seja, fazer a transformação. Lembra daquela pesquisa do avatar? Conhecendo bem sua audiência, você consegue identificar quem é o seu público e, principalmente, quais são as dores dele e, logo, quais são as soluções que ele espera de você. Lembre-se também de estudar repertório e criar o seu próprio estilo para se comunicar.

Uma boa dica é sempre ler os comentários dos posts de perfis concorrentes. Nestes comentários, podem surgir tipos de conteúdos para você fazer e cumprir o cronograma sugerido.

SIGA A SUGESTÃO DE POSTAGEM DA FASE DE RELACIONAMENTO.

Cronograma focado para Instragram:

- 2 *lives* por semana no Instagram
- 1 post por dia no *feed* (texto ou vídeo)
- 3 caixas de perguntas nos *stories*
- 1 vídeo no YouTube por semana

Cronograma focado para YouTube:

- 3 vídeos por semana no Youtube
- 1 post por dia no *feed* (texto ou vídeo)
- 2 caixas de perguntas por semana no Instagram
- 1 *live* por semana no Youtube ou Instagram

Cronograma focado para Facebook:

- 2 posts por dia na fanpage
- *lives* por semana no Facebook
- 1 post por dia no *feed* (texto ou vídeo)
- 2 caixas de perguntas por semana no Instagram

Siga o cronograma com seriedade para que o seu resultado possa chegar!

#EuSouLX30D

A matéria-prima

Você pode fazer o lançamento de modo orgânico, apenas lançando com chamadas de ação para o "clica no link". Ou, então, você pode fazer de maneira paga para captar novos *leads*.

• A primeira coisa é ter a sua fanpage no Facebook para gerar anúncio ou então o Google Ads. É essencial para gerar o tráfego pago.

• O segundo passo é criar sua *Big Idea*, a sua promessa. Invista em conteúdos com uma copy recheada de gatilhos mentais. Nesta segunda etapa, são feitos os seus criativos – que são os anúncios. Por fim, terá que ter uma copy para a semana de lives ou convite para o webinário.

• Outro ponto é fazer página de captura, a chamada *landing page*. É necessário usar também o e-mail marketing (linkado a esta página). Deverá ter também a página de "obrigado". E, por fim, criar os grupos de Whatsapp ou Telegram.

Lembrando que, para fazer essas páginas, você poderá pedir ajuda a webdesigners.

• Chegando na etapa final, é preciso cadastrar o produto para a venda. A plataforma *Eduzz* é uma boa indicação para tal. Lembrando que o produto demora de 2 a 3 dias para ser aprovado. Por isso, faça essa etapa com antecedência. No dia que você for vender, o produto já tem que estar aprovado na página de vendas.

Confira o passo a passo para o seu lançamento:

1. Fanpage ou Google Ads

2. Copy:
Big Idea
Promessa
Criativos (anúncios)
Oferta

3. Webdesigner + Designer

Página de captura
E-mail marketing
Página de "obrigado"
Grupo de Whatsapp ou Telegram

4. Cadastrar o produto na página de venda (Exemplo: Eduzz).

LEMBRE-SE!
Teste seu conhecimento

Enumere as matérias-primas necessárias para fazer o seu lançamento. Cadastre um produto na *Eduzz* e já mande para a aprovação. Observação: você pode usar um nome e foto fictícia. Depois você poderá fazer essa alteração e já ter o produto aprovado pela plataforma.

O fluxo

Caso você ainda não tenha audiência, irá criá-la com relacionamento. Entenda o fluxo de captura de *lead*:

1. Faça anúncios: ADS – Criativos nas redes sociais;
2. Esses anúncios chamarão para página de captura;
3. O e-mail cadastrado vai para o e-mail marketing;
4. É direcionado para a página de "obrigado" e com a informação para cadastrar no grupo do Whatsapp (ou Telegram) para receber as informações.

LEMBRE-SE!
Teste seu conhecimento
Descreva o fluxo do lançamento.

Como aumentar sua audiência e "bombar" as suas *lives*

Como aumentar a audiência:

1. Conteúdo de alto impacto emocional

Acredite, conteúdo não vale muito nas redes, pois tem em abundância na Internet. As pessoas não querem ver mais do mesmo. Tem que ser diferente para ser efetivo. O conteúdo de alto impacto é aquele que emociona, que as pessoas querem compartilhar. Nos três primeiros segundos, tem que ter quebra de paradigma! Viraliza!

2. *Collabs*

Faça parcerias nas redes sociais. Faça *lives* compartilhadas e apareça em vídeos de outras pessoas. Faça sempre com pessoas do mesmo nicho que você. Não tenha medo de fazer conteúdos com os concorrentes. Ative o seu mindset de abundância. Até os sertanejos se uniram para fazer *lives*!

3. Tráfego pago

Você paga para ter mais alcance em meio a um público personalizado. Quando você anuncia, outras pessoas interessadas na sua temática passam a te conhecer. Se o conteúdo for relevante, automaticamente, ela passa a te seguir.

10 dicas para bombar as suas *lives:*

1. Energia mil. Comece a *live* com alta energia. A audiência precisa sentir a sua vibração;

2. Paciência. Não é do dia para noite que você vai bombar. É preciso ter constância. Acredite, a curva é exponencial;

3. Temas envolventes. Escolha temas para as *lives* e sempre divulgue os temas. Uma boa dica é trabalhar com números. Exemplos: "3 pilares da prosperidade!"; e "5 passos para realizar suas metas". Quando usamos números, as pessoas tendem a chegar até o fim dos passos, acompanhando a *live* como um todo.

4. Mindset de abundância. Faça parcerias e conexões. Aposte em *lives* compartilhadas. Convide especialistas do seu segmento.

5. Bom senso nas *collabs*. Não adianta querer fazer *lives* compartilhadas com especialistas que estejam muito acima de você. Escolha perfis bons, mas que sejam parecidos com o seu.

6. Gere a antecipação. Próximo para a *live* começar, divulgue o link da live em grupos, redes sociais e até no e-mails.

7. Link correto. Sempre use o seguinte link: www.instagram.com/nomedoperfil/live

Exemplo: www.instagram.com/pablomarcal1/live

Assim a pessoa clica e entra direto na *live*, não é preciso nem logar no aplicativo. Com isso, não dificulta o processo, e sim agiliza!

8. Peça para compartilhar a *live*. Logo no início da live, sempre peça para compartilhar (clicar no aviãozinho do Instagram, por exemplo). Contudo, não implore para a pessoa te ajudar, a "pena" geralmente não dá certo! Diga que você vai dar um conteúdo muito relevante para ela compartilhar com três pessoas que tem conexão, pois a *live* será muito boa para fortalecer os objetivos dessas conexões. Ou seja, ela compartilha por ela e não por você.

9. Interação. Interaja sempre com as pessoas da *live*. Faça perguntas, peça opiniões. Isso faz com que os seguidores permaneçam na *live*.

10. Print. Ao final da *live*, peça para tirar um print da tela e repostar, marcando o seu perfil, pois você repostará e assim passam a conhecer o perfil de quem postou. Ou seja, a ação nunca é para favorecer você, e sim para quem está do outro lado.

Capítulo 6

Preparação do lançamento

Conheça todas as etapas do checklist do lançamento. E para ajudar você, deixo aqui exemplos de cronograma, orçamentos e copies (textos persuasivos) para diversas etapas.

Modele para o seu lançamento. É sucesso na certa!

Checklist do lançamento

Sim, eu sei: é muita coisa nova para você. Não será fácil, é verdade. São muitas as etapas e as peculiaridades que um bom lançamento exige. É claro que terão coisas que você vai tirar de letra; já outras serão um pouco mais complicadas. Eu, por exemplo, no início dos lançamentos, tinha muita dificuldade com o computador, demorava horas para fazer as páginas de captura, mas, hoje, faço os processos necessários em 20 a 30 minutos. Por isso mesmo, recomendo a você contratar um webdesigner para fazer as páginas. Assim, você foca as suas energias onde realmente necessita.

Acredite, não espere tudo estar perfeito para fazer o seu primeiro lançamento. Coloque um primeiro prazo de 30 dias para lançar. Isso fará com que você estude cada etapa com afinco para as coisas realmente acontecerem. Por exemplo, os maiores lançamentos no Brasil ocorreram durante a pandemia, no ano 2020. As pessoas que ficaram com medo de lançar seus produtos naquele ano perderam o *time*. Sim, é preciso ter velocidade, por mais que não fique exatamente do jeito que você queira. O objetivo, neste momento, é ser funcional para conhecer o processo de lançamento.

Você já fez o seu cronograma de lançamento?

Volte ao capítulo anterior e reveja as datas de:

- tempo destinado para intensificar o relacionamento;
- preparação do lançamento;
- lançamento;
- vendas.

Dom	Seg	Ter	Qua	Qui	Sex	Sáb
				1	2	3
4	5	6	7	8	9	10
11	12	13	14	15	16	17
18	19	20	21	22	23	24
25	26	27	28	29	30	31

Dom	Seg	Ter	Qua	Qui	Sex	Sáb
1	2	3	4	5	6	7
8	9	10	11	12	13	14
15	16	17	18	19	20	21
22	23	24	25	26	27	28
29	30	31				

——— Relacionamento
------- Preparação para lançamento
.... Lançamento
~~~~~ Vendas

Obs.: a fase de relacionamento é eterna.

Em cima disso, estabeleça as suas datas. Lembrando que a fase do relacionamento é eterna. Vamos lá, você consegue! **Confira o checklist necessário:**

A	B	C	D	E	F
ETAPA	DIA	HORÁRIO	RESPONSÁVEL	OBS.:	OBS.:
FASE DE RELACIONAMENTO	Eterno		conteúdo	Cronograma de publicação	
	a definir		conteúdo	Estudo de avatar e persona	
FASE ETERNA					
PREPARAÇAO DO LANÇAMENTO	19/10		ESTRATÉGIA	DEFINIR ORÇAMENTO E QUANTIDADE DE *LEADS* E CUSTO POR *LEAD*	
	19/10		COPY	COPY - BIG e SUPER PROMESSA	
	20/10		COPY	COPY DOS ADS	
	21/10		COPY	COPY DA PÁGINA DE INSCRIÇÃO	
	21/10		COPY	COPY DA PÁGINA DE OBRIGADO	
	21/10		COPY	COPY DE MENSAGENS DE BOAS-VINDAS (WhatsApp ou Telegram + e-mails)	
	22/10		FERRAMENTA DE E-MAIL	COMPRAR E CONFIGURAR FERRAMENTA DE E-MAIL MKT	
	25/10		TRÁFEGO	CRIAÇÃO DO BUSINESS FACEBOOK/ GOOGLE E CONTA DE ANÚNCIOS	
	25/10		TRÁFEGO	CRIAÇÃO DE PIXEL/ TAG MENAGER	
	25/10		OPERACIONAL	GRUPO DE WHATSAPP OU TELEGRAM	
	27/10		MULTIMEDIA	GRAVAR E EDITAR CRIATIVOS	
	27/10		WEB DESIGNER	CRIAR PÁGINA DE INSCRIÇÃO (Instalar pixel)	
	27/10		WEB DESIGNER	CRIAR PÁGINA DE OBRIGADO (instalar pixel)	
	30/10		TRÁFEGO	SUBIR AS CAMPANHAS DE ANÚNCIOS PARA CAPTAR *LEADS*	

A	B	C	D	E	F
ETAPA	DIA	HORÁRIO	RESPONSÁVEL		OBS.:
PREPARAÇAO DO LANÇAMENTO					
	31/10		EDUZZ	CADASTRAR PRODUTO NA EDUZZ E ENVIAR PARA APROVAÇÃO PELO MENOS 10 DIAS ANTES DO LANÇAMENTO	
	31/10		EDUZZ	CONFIGURAR PIXEL NO PRODUTO	
	02/11		COPY	VÍDEO DE AVISO NA PRÓXIMA QUARTA-FEIRA	
	02/11		COPY	EU NÃO ACEITO VOCÊ FICAR BRAVO COMIGO (E-MAIL, TLG ou WPP)	
	02/11		COPY	FALTAM 3 DIAS! (E-MAIL, TLG ou WPP)	
	02/11		COPY	É AMANHÃ!	
	02/11		COPY	É HOJE - FALTA 1 HORA E ESTOU AO VIVO	
	03/11		COPY	PÁGINA DE VENDAS	
	03 a 05/11		COPY	CRIAÇÃO DA OFERTA/PITCH DE VENDAS	
	05/11		COPY	INSCRIÇÕES ABERTAS ((E-MAIL, TLG ou WPP)	
	05/11		COPY	BÔNUS REVELADO (E-MAIL, TLG ou WPP)	
	05/11		COPY	REAFIRMANDO OS BENEFÍCIOS OU A GARANTIA (E-MAIL, TLG ou WPP)	
	06/11		WEB DESIGNER	CRIAR PÁGINA DE VENDAS (instalar pixel)	
	07/11		DISPARAR	DISPARA MENSAGEM "EU NÃO ACEITO VOCÊ FICAR BRAVO COMIGO"	
	07/11		COPY	ENCERRA AMANHÃ AS INSCRIÇÕES	
	07/11		COPY	SUA ÚLTIMA CHANCE: ENCERRA HOJE AS INSCRIÇÕES	
	07/11		COPY	VAI ENCERRAR EM 12 HORAS	
	07/11		COPY	VAI ENCERRAR EM 6 HORAS	

PREPARAÇAO DO LANÇAMENTO	07/11		COPY	FALTA 1 HORA PARA ENCERRAR	
	07/11		COPY	AS INSCRIÇÕES ENCERRARAM! ENTRE NA LISTA DE ESPERA	
	07/11		COPY	PÁGINA DE LISTA DE ESPERA	
	07/11		COPY	PÁGINA DE OBRIGADO DA LISTA DE ESPERA	
	08/11		DISPARAR	FALTAM 3 DIAS	
	08/11		WEB DESIGNER	PÁGINA DE LISTA DE ESPERA (Colocar pixel)	
	08/11		WEB DESIGNER	PÁGINA DE OBRIGADO DA LISTA DE ESPERA	
	09/10		EDUZZ	GRAVAR E SUBIR AULA DE BOAS-VINDAS	
	10/10		DISPARAR	É AMANHA	
LANÇAMENTO	11/10	9h	DISPARAR	É HOJE	
	11/10	19h	DISPARAR	FALTA 1 HORA	
	11/10	20h	DISPARAR	ESTOU AO VIVO	
	11/11	20h	ABERTURA DE CARRINHO	AGORA É HORA DE FAZER O SHOW!	
	11/11	21h30	DISPARAR	INSCRIÇÕES ABERTAS (E-mail; Wpp ou Telegram)	
	12/11	10h	DISPARAR	NOVO BÔNUS REVELADO (E-MAIL, TLG ou WPP) LIBERADA A REPRISE	
	12/11	16h	DISPARAR	REAFIRMANDO OS BENEFÍCIOS OU A GARANTIA. (E-MAIL, TLG ou WPP)	
	13/11	12h	DISPARAR	ENCERRA AMANHÃ AS INSCRIÇÕES	
	14/11	9h	DISPARAR	SUA ÚLTIMA CHANCE: ENCERRAM HOJE AS INSCRIÇÕES	
	14/11	12h	DISPARAR	VAI ENCERRAR EM 12 HORAS	
	14/11	18h	DISPARAR	VAI ENCERRAR EM 6 HORAS	
	14/11	23h	DISPARAR	FALTA 1 HORA PARA ENCERRAR	
	15/11	9h	DISPARAR	AS INSCRIÇÕES ENCERRARAM! ENTRE NA LISTA DE ESPERA	

A planilha é bem simples e funcional:

Interpretando a coluna A:

Existem as fases do relacionamento + preparação do lançamento + lançamento.

Interpretando a coluna B:

Coloque o dia de cada tarefa, ou seja, para você finalizar a ação.

Interpretando a coluna C:

Tem a sugestão de horários para as tarefas.

Interpretando a coluna D:

Tem um responsável por executar a tarefa.

Interpretando a coluna E:

São as definições das tarefas.

Interpretando a coluna F:

São as observações.

DICAS PARA A FASE A:

Na fase de relacionamento, o objetivo é ativar a empatia, a reciprocidade e a gratidão.

Quando as pessoas forem entrando no seu grupo do Whatsapp ou Telegram, é importante fazer uma pesquisa – como já explicado nos capítulos anteriores – para identificar realmente quem são. Muitas vezes, o *lead* frio não segue você nas redes sociais. Por isso, é importante saber qual de fato é a expectativa dele. Então, esteja em constante pesquisas com o seu *lead*, a fim de identificar as reais dores e os desejos dele.

DICAS PARA A FASE B:

Já na fase de preparação, o primeiro passo que você precisa fazer é o estudo do investimento que fará em seu lançamento.

Orçamento e quantidade de *leads* e custo por *lead* (exemplo):

Por exemplo, você define R$ 3.000 de investimento. Parte desse

PLANILHA DE INVESTIMENTO	
Orçamento total do seu próximo lançamento	R$ 5.000
% de investimento em *lead* no lançamento	70%
% de investimento em remarketing	30%
Total de investimento em *lead*	R$ 3.500
Meta de custo por *lead*	R$ 2,00
Meta de *lead*	1.750
Total de investimento em remarketing	R$ 1.500

FATURAMENTO ÓTIMO	
Tamanho da lista	1.750
Meta % de conversão	3,0%
Meta conversão	53
Preço do produto principal	R$ 497
Meta de faturamento	R$ 26.093
Meta faturamento + *oderbump*	R$ 28.702

FATURAMENTO BOM	
Meta % comparecimento	0%
Meta da lista de comparecimento	1.750
Meta % de conversão	1,5%
Meta conversão	26
Preço do produto principal	R$ 497
Meta de faturamento	R$ 13.046
Meta faturamento + oderbump	R$ 14.351

FATURAMENTO FRACO	
Meta % comparecimento	0%
Meta lista de comparecimento	1.750
Meta % de conversão	0,7%
Meta conversão	12
Preço do produto principal	R$ 497
Meta de faturamento	R$ 6.088
Meta faturamento + *oderbump*	R$ 6.697

valor, será para captura de novos *leads*, e a outra parte será para remarketing. Quando você tem uma lista pequena (cerca de 5.000 mil *leads*), você gasta 70% do valor com a captação de *leads*, e o restante com remarketing. Já quando é um lançamento grande, com uma lista de 100 a 200 mil *leads*, você gasta meio a meio. Exemplo: R$ 25 mil para captação de novos *leads* e mais R$ 25 mil em remarketing.

Lembrando que é preciso captar o *lead* e sempre ficar lembrando por e-mail as informações do lançamento (*lives*, inscrições abertas, etc).

Você pode fazer este primeiro lançamento de modo orgânico. Apenas utilizando o recurso do "clica no link" e colocando as pessoas em um grupo de Whatsapp. E vender para essas pessoas que vieram de sua audiência com a estratégia de 100% orgânico.

Há pessoas/lançadores que vão querer fazer o orgânico e o pago. Mas há aqueles que não têm audiência nenhuma e precisam fazer o pago para captar *leads*. Lembrando que, quando tem audiência, a possibilidade de conversão é maior, pois já tem relacionamento.

Repare na planilha que a taxa de conversão de 3% é ótima em uma lista de 1.400 *leads*, com o custo do *lead* a R$ 2. Ou seja, um infoproduto custando R$ 997 com meta de 42 unidades de conversão, será possível faturar R$ 41.874. Quando você inclui um "oderbump" no checkout da compra, ou seja, a possibilidade de incluir na "sacola de compras" mais um produto seu, esse valor pode ser ainda maior.

Nesta planilha, é possível ter uma base de um faturamento bom, que é com 1,5% de conversão. E um faturamento fraco com 0,7% de conversão.

Pelo que vemos no mercado, o mais frequente de conversão é 1%. Sendo assim, é importante simular cenários, definindo o quanto investirá, quanto será o seu *lead* e qual a possibilidade de conversão.

Minha sugestão é sempre investir um valor que não comprometerá a sua vida, caso a taxa de conversão seja baixa. Afinal, como já dito, o primeiro lançamento é para conhecer o processo.

A Promessa

Após definir o orçamento para o lançamento, é preciso definir a BIG IDEA e a super promessa de seu lançamento.

Exemplo:

BIG IDEA

Vender produtos para o Brasil inteiro sem ter um endereço fixo

NOME DO EVENTO

Seu negócio sem CEP

PROMESSA DO EVENTO

Seja dono de um negócio altamente lucrativo e escalável através da internet e conquiste a sua liberdade geográfica e financeira.

Lembre-se: quanto mais tangível e verificável a sua promessa, melhor. Isso porque possibilita maior clareza para quem está do outro lado, ajudando muito mais na taxa de conversão.

Exemplo de promessa ruim:

"Vou te ensinar a pedalar e ser um ciclista de alta performance"

(O que é alta performance? Muito subjetivo, cada um poderá interpretar de uma forma).

Exemplo de promessa "mais ou menos":

"Você vai pedalar 50 quilômetros sem se cansar!"

(Já nesta promessa, quando é definida a quantidade de quilômetros, fica um pouco melhor, mais claro. Mas em quanto tempo? Se for uma semana, não vai cansar mesmo).

Exemplo de promessa boa:

"Você vai pedalar 50 quilômetros em 43 minutos sem sentir fadiga ou câimbra com o método 50k pedal"

(Já nesta promessa, fui bem específico para o *lead* conseguir ter a clareza necessária na compra da oferta).

Uma outra boa promessa para o primeiro caso apontado seria:

Comece do zero e torne-se dono de um e-commerce que fatura mais de R$ 50 mil por mês através da internet em menos de 180 dias e conquiste a sua liberdade geográfica e financeira.

Importante: cuidado ao fazer a promessa! É necessário que o seu produto realmente apresente esta solução. Caso contrário, a conversão só tende a cair nos próximos lançamentos. Prometa algo que o seu método seja possível de cumprir. Integridade acima de tudo.

Copy dos anúncios

Copy refere-se aos textos persuasivos para os seus anúncios. Segue abaixo algumas sugestões de textos para os seus criativos (anúncios de captação).

Os criativos chamam as pessoas para se cadastrar no evento.

CRIATIVO 01

Headline: [**Você ainda depende dos seus vizinhos?**]

Vou te fazer uma pergunta, e quero que você me responda...

Você acha melhor: ter um negócio local aí na sua cidade, vendendo para pessoas que passam em frente a sua loja?

Ou você acha melhor ter um negócio em todas as ruas do Brasil inteiro e vender pra qualquer pessoa?

Me conta aí...

Eu não sei se hoje você está em um negócio ou quer criar um negócio.

Mas com certeza você vai impactar muito mais gente se você estiver na Internet.

Então, eu vou fazer uma aula ao vivo e gratuita pra te falar sobre o seu negócio sem CEP, pra você vender aí, no Brasil inteiro, mesmo sem ter um endereço físico.

Essa aula vai acontecer no dia 16 de junho às 20h.

É só clicar no botão e se cadastrar pra participar da nossa aula "*Seu Negócio sem CEP.*

CRIATIVO 02

Headline: [**Se você não está na Internet, você está morto**]

Essa crise mudou completamente o padrão de compra das pessoas. Quem nunca tinha comprado pela Internet, comprou...

Quem já tinha comprado, começou a comprar ainda mais...

Com praticamente todas as lojas do Brasil fechadas por inteiro, as pessoas foram forçadas a comprar pela Internet.

Pensa aí, você, por exemplo...

Nesses últimos meses, quantas coisas você já comprou pela Internet?

E a partir desse momento, as coisas não vão mais voltar ao normal...

A partir de agora, teremos um novo normal instalado, que é a compra pela Internet aumentando cada vez mais e mais.

As pessoas já perceberam que é fácil comprar, que é cômodo fazer tudo pelo celular ou notebook e chegar o produto direto na sua casa, sem você precisar fazer nada além de recebê-lo.

Mas e você...

Você já tá na Internet?

Você já vende os seus produtos pela Internet?

Você tem um negócio já online?

Eu vou fazer uma aula ao vivo e gratuita pra te falar sobre o seu negócio sem cep, pra você vender no Brasil inteiro, mesmo sem você ter um endereço físico.

Essa aula vai acontecer no dia 16 de junho às 20h.

Só clicar no botão aqui e se cadastrar pra você receber o link da nossa aula *Seu Negócio sem CEP.*

CRIATIVO 03

A crise afetou inúmeros negócios espalhados pelo Brasil inteiro... loja fechada significa faturamento parado... na verdade, faturamento negativo, porque suas contas não pararam de chegar, né?!

Se você não está na Internet ainda, se você não vende o seu produto online, ou até tem uma lojinha, mas não está vendendo da forma que gostaria, eu tenho um convite pra você.

Vou fazer uma aula ao vivo onde vou te falar sobre o seu negócio sem CEP. Isso mesmo, você não precisa depender de loja aberta para vender ou não. Você pode vender no Brasil inteiro sem mesmo ter um endereço físico.

Essa aula vai acontecer no dia 16 de junho, às 8 horas da noite. Cadastre-se gratuitamente para receber o link de acesso e participar dessa aula.

Clique no botão e se cadastre para participar da aula *Seu Negócio sem CEP.*

Clique no link e se cadastre para participar da aula *Seu Negócio sem CEP!*

CRIATIVO 04

Sua loja online não fechou durante essa pandemia, mas ela vendeu bem? Você está conseguindo alcançar os resultados que gostaria com ela?

De nada adianta ter o seu negócio na Internet se não estiver vendendo bem...

Só no ano passado eu consegui bater mais de 300 mil vendas na minha loja online. Quero compartilhar com você um pouco da minha experiência e vou fazer uma aula ao vivo no dia 16 de junho, às 8 horas da noite.

Clique no botão e se cadastre para participar da aula *Seu Negócio sem CEP.*

Clique no link e se cadastre para participar da aula *Seu Negócio sem CEP.*

CRIATIVO 05

Você quer vender seu produto para o Brasil inteiro mesmo sem ter uma loja física? É simples, basta ter uma loja online e ser encontrado pelo seu cliente...

Eu vou fazer uma aula ao vivo e gratuita pra te falar sobre o seu negócio sem CEP. Nessa aula, você vai entender como vender os seus produtos pela Internet, sem mesmo ter um endereço físico.

Essa aula vai acontecer na próxima quarta-feira, dia 16 de junho, às 8 horas da noite.

Cadastre-se gratuitamente para receber o link de acesso e participar dessa aula.

Clique no botão e se cadastre para participar da aula *Seu Negócio sem CEP.*

Clique no link e se cadastre para participar da aula *Seu Negócio sem CEP.*

CRIATIVO 06

Muita gente tem um produto, tem um negócio, mas não faz a menor ideia de como vender isso pela Internet...

Eu já tive essa dúvida há alguns anos e descobri como colocar o meu negócio de forma online e vender todos os dias. Só no ano passado foram mais de 300 mil vendas.

Eu vou fazer uma aula online e gratuita que vou te mostrar como iniciar o seu negócio sem CEP. Ou seja, seu negócio na Internet, sua loja vendendo seu produto de forma online.

Essa aula vai acontecer no dia 16 de junho, às 8 horas da noite. Cadastre-se gratuitamente para receber o link de acesso e participar dessa aula.

Clique no botão e se cadastre para participar da aula *Seu negócio sem CEP*.

Clique no link e se cadastre para participar da aula *Seu negócio sem CEP*.

CRIATIVO 07

O que é melhor: ter um negócio local, em uma rua aí na sua cidade vendendo para as pessoas que passam ali em frente da sua loja ou ter um negócio em todas as ruas do Brasil inteiro, que você pode vender pra qualquer pessoa?

Não sei se hoje você já tem um negócio ou quer criar um negócio, mas com certeza você vai impactar muito mais gente se estiver na Internet.

Vou fazer uma aula ao vivo e gratuita pra te falar sobre o seu negócio sem CEP. Pra você vender no Brasil inteiro sem mesmo ter um endereço físico.

Essa aula vai acontecer no dia 16 de junho, às 8 horas da noite. Cadastre-se gratuitamente para receber o link de acesso e participar dessa aula.

Clique no botão e se cadastre para participar da aula *Seu negócio sem CEP*.

Clique no link e se cadastre para participar da aula *Seu negócio sem CEP*.

Exemplos de criativos de Remarketing:

CRIATIVO 01

Headline: [**É AMANHÃ**]

Já imaginou o seu negócio vendendo aí no Brasil inteiro, mesmo sem você ter um endereço de loja física para o seu negócio?

É isso que eu vou te falar um pouco mais ao vivo na aula de amanhã. Então, já coloca o seu despertador aí do seu celular...

Vai ser amanhã, às 20h.

Vou te enviar um link no seu e-mail e no grupo do WhatsApp.

Nos vemos lá!

CRIATIVO 02

Headline: [**É HOJE!**]

É hoje a nossa aula ao vivo: *Seu negócio sem CEP!*

Vamos começar às 20h. Então, coloca o despertador pra você não chegar atrasado.

Vou te mandar o link da aula, minutos antes, no seu e-mail e no grupo do WhatsApp.

Até as 20h, *tamo junto*! Vê se não chega atrasado, porque cada minuto será valioso...

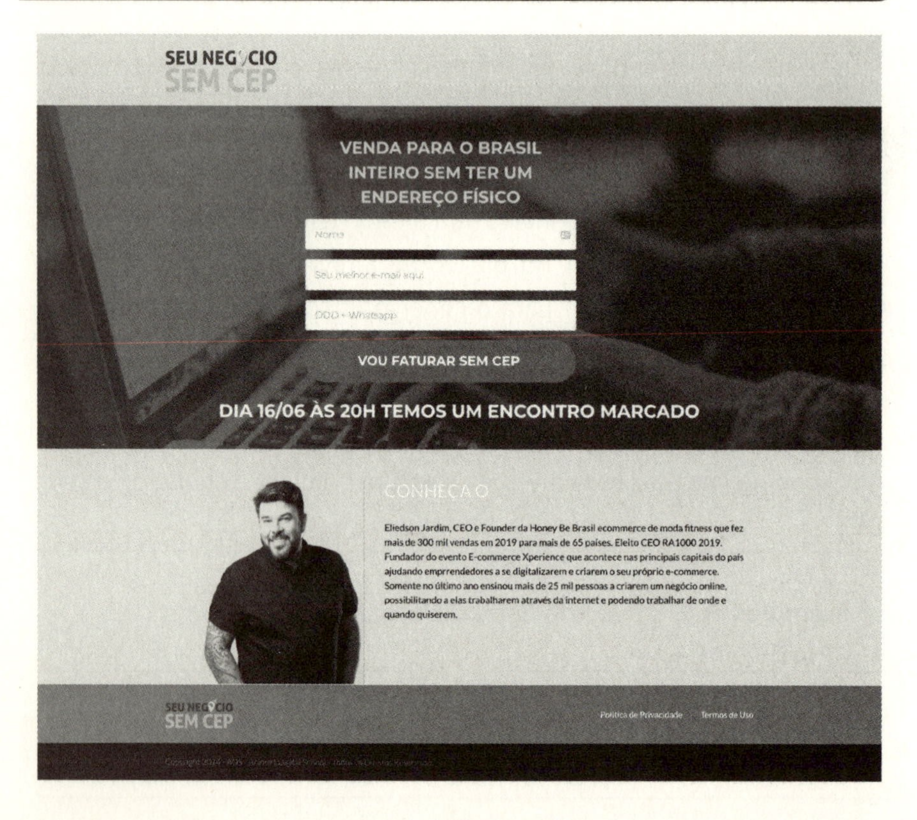

Atenção: no rodapé das suas *landing pages*, é importante ter um ícone de Política de Privacidade e Termos de uso. Segue abaixo um modelo para você apenas adaptar com o nome de sua empresa e o seu CNPJ. Caso não faça isso, seus anúncios podem ser recusados no Facebook Ads e no Google Ads.

POLÍTICA DE PRIVACIDADE

Nome da sua empresa

Nome da sua empresa, adiante referido apenas como "**nome fantasia da sua empresa**", pessoa jurídica de direito privado, regularmente inscrita no CNPJ/MF sob o nº XX.XXX.XXX/XXXX-XX, com sede na Rua XXXX, nº. XXX, Bairro XXXXX, na cidade de XXXX/XXX - CEP XX.XXX-XXX, neste ato representada na forma de seus atos constitutivos, preocupados com a sua privacidade e com o objetivo de trazer transparência para nossas atividades, editamos a presente **Política de Privacidade** ("Política") para informar a Você, "Usuário" e/ou "Visitante" (definições nos Termos de Uso) do *Site* e do ambiente de cadastro para receber mais informações sobre o curso disponível e demais páginas de vendas de nossos experts, sobre quais informações suas são coletadas, além de como elas são tratadas, em que situações são compartilhadas e quando são excluídas, nos termos a seguir:

CLÁUSULA PRIMEIRA: INFORMAÇÕES COLETADAS

1.1 ***Nome da sua empresa*** coleta todas as informações inseridas por Você, Usuário e/ou Visitante da Plataforma, tais como dados cadastrais, avaliações de treinamentos, comentários, participação em pesquisas e enquetes, dentre outros. Em síntese, são coletadas pela ***Nome da sua empresa*** todas as informações ativamente disponibilizadas por você na utilização da Plataforma, normalmente destinadas à melhoria de seu sistema e do modo de prestação de serviços.

1.2 ***Nome da sua empresa*** também coleta algumas informações, automaticamente, quando você acessa e utiliza a Plataforma, tais como características do dispositivo de acesso, do navegador, Protocolo de Internet (IP, com data e hora), origem do IP, informações sobre cliques, páginas acessadas, as páginas seguintes acessadas após a saída da Plataforma, ou qualquer termo de busca digitado na Plataforma, dentre outros. ***Nome da sua empresa*** também poderá utilizar algumas tecnologias padrões para coletar informações sobre você, tais como *cookies, pixel tags, beacons* e *local shared objects*, de modo a melhorar sua experiência de navegação.

1.3 Você pode, a qualquer momento, bloquear algumas destas tecnologias para coleta automática de dados. No entanto, caso essa configuração seja implementada, é possível que algumas das funções oferecidas pela Plataforma deixem de funcionar corretamente.

1.4 Desta forma, ciente das informações coletadas por meio da Plataforma, **Você manifesta o seu consentimento livre, expresso e informado com relação à coleta de tais informações**, para fins do disposto no artigo 7º, inciso IX[1], da Lei 12.965/2014.

CLÁUSULA SEGUNDA: DA UTILIZAÇÃO E TRATAMENTO DAS INFORMAÇÕES

2.1 ***Nome da sua empresa*** considera todas as informações coletadas por meio da plataforma como confidenciais. Portanto, somente as

1 Art. 7º O acesso à internet é essencial ao exercício da cidadania, e ao usuário são assegurados os seguintes direitos:
IX - Consentimento expresso sobre coleta, uso, armazenamento e tratamento de dados pessoais, que deverá ocorrer de forma destacada das demais cláusulas contratuais;

utilizará da forma aqui descrita e por você autorizada.

2.2 Todas as informações cadastradas e coletadas na Plataforma são utilizadas para a prestação de serviços pelo ***Nome da sua empresa***, para melhorar sua experiência de navegação na Plataforma, bem como para fins publicitários.

2.3 O ***Nome da sua empresa*** poderá trabalhar com empresas terceirizadas para a divulgação de anúncios à Você durante seu acesso à plataforma. Tais empresas poderão coletar informações sobre suas visitas à plataforma, no intuito de fornecer anúncios personalizados sobre bens e serviços do seu interesse. Tais informações não incluem nem incluirão nome, endereço, e-mail ou seu número de telefone.

2.4 **Você manifesta o seu consentimento livre, expresso e informado para que o *Nome da sua empresa* e seus parceiros utilizem as informações coletadas por meio da plataforma para fins publicitários, bem como para adequada prestação de serviços pelo PLX**, para fins do disposto no artigo 7º, inciso IX da Lei 12.965/2014.

2.5 Se você não desejar receber mais e-mails promocionais, seguir as orientações constantes ao final da mensagem, a fim de viabilizar o descadastramento.

2.6 Ainda, importante atentar que a plataforma pode conter links para outras páginas, inclusive de parceiros, que possuem Políticas de Privacidade com previsões diversas do disposto nesta Política do ***Nome da sua empresa***. Dessa forma, ***Nome da sua empresa*** não se responsabiliza pela coleta, utilização, compartilhamento e armazenamento de seus dados pelos responsáveis por tais páginas fora de sua plataforma.

CLÁUSULA TERCEIRA: COMPARTILHAMENTO DE INFORMAÇÕES

3.1 ***Nome da sua empresa*** poderá compartilhar os dados coletados por meio da Plataforma, nas seguintes situações:

a) Com empresas parceiras do ***Nome da sua empresa***, para fins publicitários, conforme descrito no item "2.3", supra;

b) Quando necessário às atividades comerciais do ***Nome da sua empresa***, como por exemplo, para fins de recebimento dos pagamentos dos treinamentos adquiridos na plataforma;

c)Para proteção dos interesses do ***Nome da sua empresa*** em qualquer tipo de conflito, incluindo ações judiciais;

d) No caso de transações e alterações societárias envolvendo o***Nome da sua empresa***, hipótese em que a transferência das informações será necessária para a continuidade dos serviços; e/ou

e) Mediante ordem judicial ou pelo requerimento de autoridades administrativas que detenham competência legal para sua requisição.

CLÁUSULA QUARTA: DO ARMAZENAMENTO DAS INFORMAÇÕES

4.1 As informações fornecidas por você na plataforma serão armazenadas pelo ***Nome da sua empresa***, em servidores próprios ou por ele contratados nacional, ou internacionalmente.

4.2 ***Nome da sua empresa*** emprega todos os esforços razoáveis de mercado para garantir a segurança de seus sistemas na guarda de referidos dados, tais como:

a) Utilização de métodos padrões e de mercado para criptografar e anonimizar os dados coletados;

b) Utilização de *software* de proteção contra acesso não autorizado aos nossos sistemas;

c) Autorização de acesso somente a pessoas previamente estabelecidas aos locais onde armazenamos as informações;

d) Existência de políticas internas para a manutenção da segurança da informação;

e) Celebração de contratos com os colaboradores que têm acesso às suas informações, visando estabelecer a obrigação de manutenção do sigilo absoluto e confidencialidade dos dados acessados, sob pena de responsabilidade civil e penal, nos moldes da legislação brasileira.

4.3 Esta Política representa esforço do ***Nome da sua empresa*** no sentido de resguardar suas informações. No entanto, em razão da própria natureza da Internet, não é possível garantir que terceiros mal-intencionados não tenham sucesso em acessar indevidamente as informações obtidas pela ***Nome da sua empresa***.

CLÁUSULA QUINTA: DA EXCLUSÃO DAS INFORMAÇÕES

5.1 Você pode solicitar ao ***Nome da sua empresa*** que as informações referidas na presente Política sejam excluídas, por meio da solicitação de descadastramento, presente em sua área do "usuário".

5.2 ***Nome da sua empresa*** empreenderá os melhores esforços para atender a todos os pedidos de exclusão, no menor espaço de tempo possível. Tal exclusão, no entanto, removerá também o seu cadastro da Plataforma, impossibilitando novos acessos, inclusive a eventuais cursos adquiridos pelo usuário.

5.3 ***Nome da sua empresa*** esclarece a você que respeitará o prazo de armazenamento mínimo de determinadas informações, conforme determinado pela legislação brasileira, ainda que Você solicite a exclusão de tais informações.

CLÁUSULA SEXTA: DA ACEITAÇÃO

6.1 A aceitação desta Política pelo Usuário se dará no ato do seu clique no botão "Li e Concordo" ao se cadastrar na plataforma e, em relação ao Visitante, quando faz a navegação e utilização da plataforma.

6.2 Você – Usuário ou Visitante – concorda e permite o acesso às suas informações a partir de seu cadastro e ou acesso à plataforma, manifestando consentimento livre, expresso e informado, nos termos do artigo 43[2] do Código de Defesa do Consumidor e artigo 7º, inciso IX, da Lei 12.965/2014.

6.3 Caso você não concorde com a presente Política, recomendamos que não prossiga com o cadastramento na plataforma e/ou se abstenha de acessá-la e utilizá-la.

6.4 No acesso, navegação, cadastro e/ou utilização da Plataforma, aplicam-se as disposições constantes nos Termos de Uso, conjuntamente com esta Política.

6.5 Caso reste alguma dúvida, após a leitura desta Política de Privacidade, entre em contato conosco, através do site XXXXXX ou pelo e-mail XXXXXXX.

CLÁUSULA SÉTIMA: DA ATUALIZAÇÃO DESTA POLITICA

7.1 ***Nome da sua empresa*** se reserva o direito de alterar essa Política de Privacidade sempre que necessário, com o fito de fornecer maior segurança e praticidade a Você, assim como para cumprir a legislação aplicável, o que poderá se dar sem prévia notificação, salvo em caso de expressa vedação legal. Por isso, é importante que Você leia esta Política a cada nova atualização, com a observância da data de modificação informada ao final deste documento.

CLÁUSULA OITAVA: DA LEGISLAÇÃO E FORO COMPETENTE

1.1 Essa Política de Privacidade será regida, interpretada e executada de acordo com as leis da República Federativa do Brasil, independentemente dos conflitos dessas leis com as de outros estados ou países.

8.2 Fica eleito o Foro da Comarca da cidade de XXXXX no Brasil, para dirimir qualquer dúvida decorrente deste instrumento. Você consente,

---

2 Art. 43. O consumidor, sem prejuízo do disposto no art. 86, terá acesso às informações existentes em cadastros, fichas, registros e dados pessoais e de consumo arquivados sobre ele, bem como sobre as suas respectivas fontes.

expressamente, com a competência desse juízo, e renuncia, neste ato, à competência de qualquer outro foro, por mais privilegiado que seja ou venha a ser.

Mensagens para os grupos e e-mail:
GRUPO DO WHATSAPP

Fala pessoal!

Eliedson Jardim aqui...

Estou passando para dar as boas-vindas para você que decidiu participar do nosso grupo exclusivo do WhatsApp.

Por aqui, você vai receber em primeira mão, todas as notícias e novidades sobre o *Seu Negócio Sem CEP*, que vai acontecer dia *16 de junho, às 20h*.

Durante esse evento, você vai descobrir como vender os seus produtos para todo o Brasil, mesmo que você não tenha uma loja física e ainda não faça ideia do que vender, se tornando dono de um negócio altamente lucrativo e escalável através da Internet.

IMPORTANTE: somente eu e os administradores do grupo enviaremos mensagens para garantir a melhor comunicação durante o nosso evento.

GRUPO DO TELEGRAM [é usada a mesma do WhatsApp]

Fala pessoal!

Eliedson Jardim aqui...

Estou passando para dar as boas-vindas para você que decidiu participar do nosso grupo exclusivo do Telegram.

Por aqui, você vai receber em primeira mão, todas as notícias e novidades sobre o *Seu Negócio Sem CEP*, que vai acontecer dia * 16 de junho, às 20h*.

Durante esse evento, você vai descobrir como vender os seus produtos para todo o Brasil, mesmo que você não tenha uma loja física e ainda não faça ideia do que vender, se tornando dono de um negócio altamente lucrativo e escalável através da Internet.

IMPORTANTE: somente eu e os administradores do grupo

enviaremos mensagens para garantir a melhor comunicação durante o nosso evento.

Lembrando que cada grupo do Telegram cabem mais de 200.000 pessoas, enquanto, no grupo do Whatsapp, cabem apenas 250 pessoas. Sendo assim, à medida que for lotando o grupo do Whatsapp, é preciso ter outros grupos. Existe um software que modifica automaticamente esses links. Nesse sentido, vale pesquisar por *Joinzap*, que faz a troca automática do grupo.

Ou senão, use o Telegram que você não terá problema com a capacidade de participantes do grupo.

Seguem algumas sugestões de *copy* para e-mail marketing:

E-MAIL CONFIRMAÇÃO

ASSUNTO: [Confirmação] Seu Negócio Sem CEP

LINHA FINA: Veja agora qual é o próximo passo...

[NOME], você acabou de se inscrever para a aula gratuita ***Seu negócio sem CEP***.

Essa aula vai acontecer AO VIVO no dia **16 de junho (terça-feira) às 20:00.**

Fique atento ao seu e-mail, pois te enviarei o link para você participar da aula e ela não ficará gravada. Por isso, já anote aí na sua agenda.

Se você ainda não entrou no nosso Grupo do Whatsapp, entre agora mesmo. Por lá vou enviar mensagens pontuais, o grupo não será aberto para outras pessoas enviarem mensagens, assim usamos melhor o nosso tempo para alavancar os nossos negócios.

QUERO ENTRAR NO GRUPO OFICIAL DO WHATSAPP

A sua loja pode vender para qualquer lugar do Brasil, estando em apenas um único lugar... NA INTERNET.

Um abraço,

Eliedson Jardim

Em relação às plataformas que fazem os disparos de e-mail marketings, sugiro usar:

- *Active Campaign*
- *Lead Lovers*
- *Mailchimp*

Para esses processos, recomendo contratar um webdesigner que faz todo o processo das conexões de páginas para você.

Siga as próximas etapas do nosso checklist!

Exemplo de vídeo de aviso de remarketing:

Eeei,

Eu tô passando aqui pra te lembrar que, na próxima quarta-feira às 20:00 horas,

Você vai entender como vender os seus produtos pela internet, tendo maior escala e margem no seu negócio, sem mesmo ter um endereço físico.

Então se você quer vender seu produto para o Brasil inteiro mesmo sem ter uma loja física?

É simples, basta ter uma loja online, um negócio sem CEP e ser encontrado pelo seu cliente...

Eu vou te ensinar isso na próxima quarta-feira às 20:00 horas. Então, já marque na sua agenda e ative o lembrete do seu celular pra não perder!

MENSAGEM DE ANTECIPAÇÃO [E-MAIL]

Assunto: Você não vai ficar bravo comigo, né?

Linha fina: Eu não vou aceitar isso! Veja agora o motivo...

Eliedson Jardim por aqui.

[NOME], esse e-mail é uma antecipação para evitar que você fique bravo comigo...

Sabe por quê?

Porque no dia de 16 de junho, às 20h, vai acontecer a nossa aula ao vivo e online, onde eu vou te mostrar como ser dono de um negócio altamente lucrativo e escalável através da Internet, vendendo os seus produtos para todo o Brasil mesmo sem ter um endereço físico.

Esse e-mail é um alerta para você não perder a oportunidade que eu vou te apresentar nessa aula e não ficar bravo comigo depois.

É aquele ditado: "Quem avisa, amigo é".

Então, já marque esse compromisso na sua agenda e fique atento ao seu e-mail e ao nosso grupo do WhatsApp, pois eu vou te enviar por esses 2 canais o link de acesso a nossa aula.

Abraço,

Eliedson Jardim.

MENSAGEM DE ANTECIPAÇÃO [GRUPO DO WHATSAPP]

Atenção!

Essa mensagem é um alerta para evitar que você fique bravo comigo depois...

No dia de 16 de junho, às 20h, vai acontecer a nossa aula ao vivo e online, onde eu vou te mostrar como ser dono de um negócio altamente lucrativo e escalável através da Internet, vendendo os seus produtos para todo o Brasil mesmo sem ter um endereço físico.

Essa mensagem é uma antecipação de alerta para você não perder a oportunidade que eu vou te apresentar nessa aula e não ficar bravo comigo depois.

É aquele ditado: "Quem avisa, amigo é".

Então, já marque esse compromisso na sua agenda e fique atento ao seu e-mail e ao nosso grupo do WhatsApp, pois eu vou te enviar por esses 2 canais o link de acesso a nossa aula.

MENSAGEM GRUPO WHATSAPP OU TELEGRAM

FALTAM 3 DIAS

Estou passando aqui para te lembrar de algo importante...

Daqui a 3 dias, vai acontecer a nossa aula ao vivo online do evento ***Seu Negócio Sem CEP***

Nesta aula, você vai entender como ser dono de um negócio

altamente lucrativo e escalável através da internet, vendendo os seus produtos para todo o Brasil mesmo sem ter um endereço físico.

Então não esquece, ***dia 16 de junho, às 20h***, nós temos um compromisso.

MENSAGEM E-MAIL

ASSUNTO: VOCÊ NÃO VAI PERDER, NÉ?

LINHA FINA: Faltam só 3 dias...

Olá [NOME]! Eliedson Jardim por aqui.

Estou passando para te lembrar de algo importante...

Daqui a 3 dias, vai acontecer a nossa aula ao vivo online do evento ***Seu Negócio Sem CEP***.

Nesta aula você vai entender como ser dono de um negócio altamente lucrativo e escalável através da internet, vendendo os seus produtos para todo o Brasil mesmo sem ter um endereço físico.

Então não esquece, **dia 16 de junho, às 20h**, nós temos um compromisso.

Grande abraço,

Eliedson Jardim.

MENSAGEM GRUPO WHATSAPP

É amanhã!

Estou passando aqui só para te lembrar que ***amanhã, às 20h*** vai acontecer a aula ao vivo e online do ***Seu negócio Sem CEP***.

Nessa aula eu vou te mostrar o passo a passo simples pra você vender os seus produtos para todo o Brasil através da internet, sem precisar ter uma loja física ou um endereço fixo.

Fica ligado aqui e no seu e-mail que amanhã vou te mandar o link de acesso à aula por esses 2 lugares.

Te vejo lá, hein!

MENSAGEM E-MAIL

ASSUNTO: Você está PREPARADO?

LINHA FINA: É amanhã...

Finalmente! Está chegando...

Amanhã é o grande dia...

O dia em que muitas pessoas darão início a sua liberdade financeira e geográfica através da venda de produtos pela internet.

Você não vai ficar de fora, né?

Amanhã vai acontecer a nossa aula ao vivo e online do evento **Seu negócio Sem CEP**.

Nessa aula eu vou te mostrar o passo a passo simples pra você vender os seus produtos para todo o Brasil através da internet, sem precisar ter uma loja física ou um endereço fixo.

Então se prepare, a aula vai acontecer amanhã, **às 20h.**

Importante lembrar:

Fique de olho no seu e-mail e no nosso grupo de WhatsApp.

Por esses dois canais eu vou enviar o link para você ter acesso ao primeiro vídeo.

Abraço,

Eliedson Jardim.

MENSAGEM WHATSAPP

É HOJE!

Fala pessoal, chegou o grande dia...

Hoje, oficialmente, vai acontecer a super aula ao vivo e online do evento *__Seu negócio sem CEP__*

Nessa aula você vai entender como conquistar a sua liberdade financeira e geográfica vendendo produtos para todo o Brasil através da internet, mesmo que você ainda não saiba o que vender e não tenha um negócio físico.

Um aviso importante:

Minutos antes de iniciar a aula eu vou enviar o link de acesso por aqui e no seu e-mail também.

Combinado?

Te vejo mais tarde!

FALTA 1 HORA PARA A NOSSA AULA!

Daqui uma hora começará a nossa aula *__Seu negócio sem CEP__*

Clique aqui no link para poder assistir a aula!
[LINK DA AULA]

ESTOU AO VIVO!
Está começando agora a nossa aula *Seu negócio sem CEP*
Clique aqui no link para assistir e aprender a vender para todo o Brasil
[LINK DA AULA]

MENSAGEM E-MAIL

ASSUNTO: Você lembra do nosso compromisso, né?
LINHA FINA: É hoje, às 20h!
Enfim, chegou!
Hoje, oficialmente, vai acontecer a super aula ao vivo e online do evento **Seu negócio sem CEP**
Nessa aula você vai entender como conquistar a sua liberdade financeira e geográfica vendendo produtos para todo o Brasil através da internet, mesmo que você ainda não saiba o que vender e não tenha um negócio físico.
Milhares de pessoas se cadastraram para participar dessa aula, e eu fico muito feliz em saber que você também está fazendo parte desse movimento.
Um aviso:
Fique de olho no seu e-mail e no nosso grupo de WhatsApp, minutos antes de iniciar a aula eu vou enviar o link de acesso por esses dois canais.
Combinado?
Te vejo mais tarde!
Abraço,
Eliedson Jardim

FALTA 1 HORA PARA A NOSSA AULA!
Daqui uma hora começará a nossa aula *Seu negócio sem CEP*
Clique aqui no link para poder assistir a aula
[LINK DA AULA]

ESTOU AO VIVO!

Está começando agora a nossa aula *Seu negócio sem CEP*

Clique aqui no link para assistir e aprender a vender para todo o Brasil

[LINK DA AULA]

INSCRIÇÕES ABERTAS

E-MAIL

ASSUNTO: Até quando você vai ficar sem vender pela Internet?

LINHA FINA: Saiba como mudar isso agora e começar a faturar...

[NOME], esse e-mail é um alerta para o futuro do seu negócio...

Você precisa estar no melhor endereço de todos... A INTERNET!

Mais de R$ 38,8 Bilhões já foram movimentados através da internet apenas no primeiro semestre de 2020. Se o seu negócio não estiver bem posicionado no digital, você vai ficar para trás e perder uma das maiores oportunidades dos últimos tempos.

E é justamente para te ajudar nessa missão de estar bem posicionado e vender pela internet que eu estou aqui hoje para te avisar que acabaram de abrir as vagas para o meu treinamento exclusivo onde eu vou te mostrar como isso é possível.

Estão abertas as vagas do Método Ecommerce 7D...

São **9 módulos** onde eu **ensino o passo a passo** que você precisa para tirar seu negócio do papel e ter seu e-commerce consolidado.

No Método Ecommerce 7D eu te mostro de maneira descomplicada, **gravando a tela do meu computador e te ensino a**:

1- Criar seu domínio;

2- Definir seu nicho de atuação;

3- Escolher a plataforma que eu utilizo;

4- Cadastrar os produtos escolhidos;

5- Criar as categorias;

6- Configurar o *gateway* de pagamento perfeito para o seu negócio;

7- Estruturar toda sua logística;

8- Organizar gestão de estoque e controle financeiro;

9- Aprender tráfego e audiência.

Você ganha também **2 bônus exclusivos** ao garantir a sua vaga no Ecommerce 7D...

Essa é a oportunidade perfeita para você que deseja sair do marasmo e ter o objetivo de construir um ecommerce de sucesso!

Para garantir a sua vaga no Método Ecommerce 7D, clique agora no link abaixo antes que as vagas esgotem

[Link De Venda].

Não deixe a oportunidade passar... Te garanto que daqui a 5 anos você vai desejar ter começado hoje!

Um Abraço,

Eliedson Jardim.

WHATSAPP

Essa mensagem é um alerta para o futuro do seu negócio...

Você precisa estar no melhor endereço de todos... A INTERNET!

Mais de R$ 38,8 Bilhões já foram movimentados através da internet apenas no primeiro semestre de 2020. Se o seu negócio não estiver bem posicionado no digital, você vai ficar para trás e perder uma das maiores oportunidades dos últimos tempos.

E é justamente para te ajudar nessa missão de estar bem posicionado e vender pela internet que eu estou aqui hoje para te avisar que acabaram de abrir as vagas para o meu treinamento exclusivo onde eu vou te mostrar como isso é possível.

Estão abertas as vagas do Método Ecommerce 7D...

São **9 módulos** onde eu **ensino o passo a passo** que você precisa para tirar seu negócio do papel e ter seu e-commerce consolidado.

Além de todo o conteúdo de alto valor que eu vou te entregar, você ainda vai receber **2 bônus exclusivos** ao garantir a sua vaga no Ecommerce 7D...

Essa é a oportunidade perfeita para você que deseja sair do marasmo e ter o objetivo de construir um ecommerce de sucesso!

Para garantir a sua vaga no Método Ecommerce 7D, clique agora no link abaixo antes que as vagas esgotem.

[Link De Venda].

Não deixe a oportunidade passar... Te garanto que daqui a 5 anos você vai desejar ter começado hoje!

BÔNUS REVELADO

E-MAIL

ASSUNTO: Bônus Exclusivo Somente Hoje, até às 23:59

LINHA FINA: As inscrições para o Método Ecommerce 7D estão abertas...

Fala, [NOME]. Tudo certo?

Somente hoje até às 23:59 horas (Horário de Brasília) você ganha um BÔNUS incrível se garantir a sua vaga no Método Ecommerce 7D.

Será uma aula ao vivo comigo e com um dos **melhores gestores de tráfego do Brasil**, onde nós vamos te entregar tudo o que você precisa saber para escalar os resultados da sua loja e multiplicar o seu faturamento através da internet, tirando todas as suas dúvidas.

Garanta agora sua vaga clicando no link abaixo antes que as inscrições se encerrem:

[Link da Página]

Nesse bônus nós **vamos te entregar estratégias avançadas de tráfego** pra você aplicar no seu negócio.

Um Abraço.

Eliedson Jardim

WHATSAPP

BÔNUS REVELADO

Somente hoje, até às 23:59 horas (Horário de Brasília) você ganha um BÔNUS incrível se garantir a sua vaga no Método Ecommerce 7D.

Será uma aula ao vivo comigo e com um dos **melhores gestores de tráfego do Brasil**, onde nós vamos te entregar tudo o que você precisa saber para escalar os resultados da sua loja e multiplicar o seu faturamento através da internet, tirando todas as suas dúvidas.

Garanta agora sua vaga clicando no link abaixo antes que as

inscrições se encerrem:

[Link da Página]

Garanta sua vaga antes que seja tarde demais...

REFORÇANDO SOBRE OS BENEFÍCIOS

E-MAIL

ASSUNTO: Você não vai perder essa oportunidade, né?...

LINHA FINA: Veja agora alguns motivos para você não ficar de fora.

Olá, [nome].

Esse e-mail é para te ajudar a eliminar os possíveis sabotadores que podem estar te impedindo de tomar uma decisão pelo seu futuro e pela sua prosperidade.

Recomendo que você se apresse para fazer parte da nova turma do meu treinamento **Método Ecommerce 7D**, muitas pessoas deixaram para a última hora e as vagas podem acabar a qualquer momento.

Veja 4 motivos para você se inscrever nesta turma:

Porque se você não estiver bem posicionado na internet e não aplicar as estratégias corretas para vender no digital, a sua empresa core o risco de quebrar

1. Mais de R$ 38,8 Bilhões foram movimentados no e-commerce apenas no primeiro semestre de 2020, se o seu negócio não vende pela internet, você está perdendo a oportunidade de aumentar o seu faturamento.
2. A internet é o único meio de você escalar o seu negócio a ponto de poder vender os seus produtos para todo o mundo sem precisar de um negócio físico.
3. Você tem uma garantia incondicional de 7 dias, ou seja, se por qualquer motivo você quiser cancelar a sua compra e não fazer parte do treinamento, nós devolvemos o seu investimento integralmente.

Para fazer parte dessa turma, clique agora no botão abaixo antes que o tempo acabe:

[QUERO ME INSCREVER NO **NOME DO PRODUTO**]

Abraço,

Eliedson Jardim.

WHATSAPP

Você não vai perder a oportunidade de fazer parte do meu treinamento e descobrir como vender e faturar mais através da internet, né?

Veja 4 motivos para você se inscrever nesta turma:

1. Porque se você não estiver bem posicionado na internet e não aplicar as estratégias corretas para vender no digital, a sua empresa core o risco de quebrar.
2. Mais de R$ 38,8 Bilhões foram movimentados no e-commerce apenas no primeiro semestre de 2020, se o seu negócio não vende pela Internet, você está perdendo a oportunidade de aumentar o seu faturamento.
3. A internet é o único meio de você escalar o seu negócio a ponto de poder vender os seus produtos para todo o mundo sem precisar de um negócio físico.
4. Você tem uma garantia incondicional de 7 dias, ou seja, se por qualquer motivo você quiser cancelar a sua compra e não fazer parte do treinamento, nós devolvemos o seu investimento integralmente.

Para fazer parte dessa turma, clique agora no link abaixo antes que o tempo acabe!

ENCERRAM AMANHÃ AS INSCRIÇÕES

E-MAIL

ASSUNTO: Você tem 24 horas para tomar uma decisão...

LINHA FINA: Vai acabar amanhã, às 23:59.

Olá [NOME]!

Eliedson Jardim por aqui.

Estou passando para te avisar que amanhã, às 23:59, vão se encerrar as vagas para o meu treinamento **Método Ecommerce 7D.**

Nesse treinamento você vai entender, de ponta a ponta, como construir um e-commerce do absoluto zero para atingir a sua liberdade financeira e geográfica através da internet.

Além dos 9 módulos que você vai receber no treinamento, você ainda vai ganhar 2 bônus exclusivos para potencializar ainda mais os seus resultados.

Para garantir a sua vaga a tempo clique agora no link abaixo:
Grande Abraço,
Eliedson Jardim.

WHATSAPP ou TELEGRAM

Você tem 24 horas!

Estou passando aqui para te avisar que amanhã, às 23:59, vão se encerrar as vagas para o meu treinamento ***Método Ecommerce 7D.***

Nesse treinamento você vai entender, de ponta a ponta, como construir um e-commerce do absoluto zero para atingir a sua liberdade financeira e geográfica através da Internet.

Além dos 9 módulos que você vai receber no treinamento, você ainda vai ganhar 2 bônus exclusivos para potencializar ainda mais os seus resultados.

Para garantir a sua vaga a tempo clique agora no link abaixo:

ENCERRAM HOJE AS INSCRIÇÕES

E-MAIL

ASSUNTO: Vagas abertas SOMENTE ATÉ HOJE às 23:59...

LINHA FINA: Participe agora do Método Ecommerce 7D.

[NOME], passando aqui para te avisar que é a sua **última chance de conseguir a sua vaga para o Método Ecommerce 7D e ainda levar 2 Bônus Exclusivos** para você que deseja criar seu ecommerce do absoluto zero e conseguir alavancar suas vendas na internet.

Infelizmente eu não sei se vou abrir pra outra turma.

Eu ainda te dou a **Garantia Incondicional de 7 dias**... se você achar que o Método Ecommerce 7D não é para você, se você não gostar, nós devolvemos o seu dinheiro.

Agora não tem como ficar de fora, se eu fosse você não ficaria de braços cruzados e começaria hoje a mudar o meu futuro.

Garanta agora mesmo sua vaga clicando no link abaixo:

Um Abraço,
Eliedson Jardim.

WHATSAPP

SOMENTE ATÉ HOJE!

Passando aqui para te avisar que é a sua ***última chance de garantir a sua vaga para o Método Ecommerce 7D e ainda levar 2 Bônus Exclusivos*** para criar seu ecommerce do absoluto zero e conseguir alavancar suas vendas na internet.

Infelizmente eu não sei se vou abrir pra outra turma.

Garanta agora mesmo sua vaga clicando no link abaixo:

FALTAM 12 HORAS

WHATSAPP ou TELEGRAM

FALTAM 12 HORAS!

Você vai ficar de fora?

Dentro de 12 horas eu vou encerrar as inscrições para o ***Método e-commerce 7D*** e você vai perder a chance de construir um e-commerce de sucesso e alcançar a sua liberdade financeira e geográfica através da internet...

Tome uma decisão agora, antes que seja tarde demais.

Clique no link abaixo antes que o seu tempo acabe.

[link]

E-MAIL

ASSUNTO: [NOME], o seu tempo está acabando...

LINHA FINA: Faltam menos de 12 horas!

[NOME], dentro de 12 horas eu vou encerrar as inscrições para o **Método e-commerce 7D** e você vai perder a chance de construir um e-commerce de sucesso e alcançar a sua liberdade financeira e geográfica através da internet...

Tome uma decisão agora, antes que seja tarde demais.

Clique no link abaixo para garantir a sua vaga a tempo.

[link]

Um abraço,

Eliedson Jardim

VAI ENCERRAR EM 6 HORAS

WHATSAPP

Faltam apenas 6 horas para encerrar as inscrições para o Método E-commerce 7D

Recomendo que você se apresse, pois, muitas pessoas deixaram para a última hora e as vagas podem acabar a qualquer momento.

Vou dedicar 100% da minha energia para que todos consigam construir um negócio de sucesso na internet, ***por isso, as vagas são limitadas.***

Clique no link abaixo e não fique de fora.

[LINK]

E-MAIL

ASSUNTO: [NOME], você vai adiar o seu sucesso?

LINHA FINA: Você tem menos de 6 horas...

[NOME], **faltam apenas 6 horas para encerrar as inscrições para o Método E-commerce 7D**

Recomendo que você se apresse, pois, muitas pessoas deixaram para a última hora e as vagas podem acabar a qualquer momento.

Vou dedicar 100% da minha energia para que todos consigam construir um negócio de sucesso na internet, **por isso, as vagas são limitadas.**

Clique no link abaixo e não fique de fora.

[LINK]

Abraço,

Eliedson Jardim.

FALTA MENOS DE UMA HORA

WHATSAPP

FALTA MENOS DE UMA HORA!

Eu só tenho uma coisa para te falar se você ainda não garantiu a sua vaga no ***Método E-commerce 7D*:**

CORRE!

Falta menos de 1 hora para as vagas se encerrarem e a nova turma do treinamento fechar.

Muitas pessoas já tomaram a decisão de fazer parte do *Método E-commerce 7D* para construir um negócio escalável e rentável através da internet.

Mas e você?

Vai perder essa chance e ficar para trás?!

Clique agora no link abaixo para garantir a sua vaga antes que seja tarde:

[LINK]

E-MAIL

ASSUNTO: [NOME], Eu só tenho uma coisa para te falar...

LINHA FINA: Abra esse e-mail a tempo antes que seja tarde!

[NOME], eu só tenho uma coisa para te falar se você ainda não garantiu a sua vaga no **Método E-commerce 7D:**

CORRE!

Falta menos de 1 hora para as vagas se encerrarem e a nova turma do treinamento fechar.

Muitas pessoas já tomaram a decisão de fazer parte do **Método E-commerce 7D** para construir um negócio escalável e rentável através da internet.

Mas e você?

Vai perder essa chance e ficar para trás?!

Clique agora no link abaixo para garantir a sua vaga antes que seja tarde:

[LINK]

Abraço,

Eliedson Jardim.

WHATSAPP

INSCRIÇÕES ENCERRADAS

Pessoal, passando para parabenizar todas as pessoas que tomaram a importante decisão de mudar completamente suas realidades financeiras e participar da nova turma do *Método e-commerce 7D*.

De agora em diante, eu e a minha equipe vamos nos dedicar completamente aos alunos da nova turma do ***Método e-commerce 7D***

Para aqueles que não estão participando do treinamento, deixo aqui os meus agradecimentos por ter nos acompanhado até aqui.

Clique no link abaixo para entrar para a lista de espera e ficar sabendo em primeira mão quando forem abertas as inscrições para a nova turma.

[COLOCAR LINK AQUI]

Até a próxima...

Um abraço a todos,

Eliedson Jardim.

E-MAIL

ASSUNTO: Inscrições encerradas para o Método e-commerce 7D

LINHA FINA: Entre para a lista de espera.

Olá [NOME]!

Estou passando aqui para te avisar que as inscrições para o Método e-commerce 7D estão encerradas.

De agora em diante, eu e a minha equipe vamos nos dedicar completamente aos alunos da nova turma do ***Método e-commerce 7D***

Se você não está participando do treinamento, deixo aqui os meus agradecimentos por ter nos acompanhado até aqui.

Para entrar para a lista de espera e ficar sabendo em primeira mão quando forem abertas as inscrições para a nova turma, clique no link abaixo.

[COLOCAR LINK AQUI]

Até a próxima...

Um forte abraço,

Eliedson Jardim.

Capítulo 7

O lançamento

Até agora você aprendeu muito sobre como aquecer a sua audiência e se preparar para o seu lançamento, mas como dizem: "Treino é treino e jogo é jogo"! Agora, chegou o momento de se lançar no mercado de produtos digitais.

Antes que siga em frente, precisamos lembrar que o objetivo principal desse lançamento é o aprendizado, portanto, não desanime com poucas vendas. Isso é normal e faz parte da jornada. Essa é a hora de analisar suas estratégias e o que pode ser melhorado para conquistar ótimos resultados no futuro.

Nas páginas seguintes, você aprenderá dicas valiosas para o seu primeiro lançamento, tais como: ferramentas para fazer as suas lives, como analisar as métricas e o que realmente é importante nesse primeiro momento, como fazer um bom encerramento e entregar muito além do que os seus clientes estavam esperando.

Se você ainda tem dúvidas, revise as páginas anteriores. Agora, se você se sente preparado para dar o primeiro passo, siga em frente!

O grande dia!

Chegou o grande dia do seu primeiro lançamento e, para minimizar as chances de erro, e tornar a sua chegada ao mundo dos lançamentos digitais mais assertiva, a seguir, apresento dicas valiosas. Mas antes de seguir em frente, lembre-se que errar faz parte, e o foco principal desse seu primeiro lançamento deve ser aprender o processo para se lançar de vez no mercado.

O primeiro passo para o seu lançamento é fazer uma *live* de vendas e um *pitch* de vendas, que é o seu site de vendas, onde estará a sua *copy* com todas as informações sobre o produto. Há três ferramentas indicadas para a criação desse conteúdo: a primeira é o **Instagram,** onde você fará uma *live* para depois oferecer seu produto. Durante a sua *live*, lembre-se de deixar o link da página de vendas para que a pessoa possa ser direcionada de maneira simples a adquirir o seu produto. Depois, coloque esse link na sua bio e também no "clique no link" nos seus *stories*. Em seguida, envie o link para o seu grupo de Telegram e/ou do WhatsApp e também por e-mail. É importante comunicar isso de todas as maneiras.

A segunda ferramenta para usar nesse momento é o **Youtube**. Nele, é possível usar um QR Code na tela com direcionamento para a página de vendas e também colocar esse link na descrição. Lembre-se que ao colocar o link na descrição, você precisa incluir o **https://** para que ele seja clicável.

E a terceira e última forma é usando uma ferramenta para webinários, que é a **WebinarJam**. O único porém é que ela é paga e em dólar, sendo um custo extra para o seu lançamento. Ela é uma ferramenta interessante, porque a pessoa fica dentro dela, não tem distrações como nas redes sociais e nem competição com outros conteúdos. Vale lembrar que também é possível colocar um botão com o seu link e passar slides dentro dessa ferramenta, sendo uma opção mais completa. Para fazer isso pelo Youtube, você pode usar o **OBS Studio** e, para incluir o nome do expert e também textos e imagens na tela, é possível utilizar o **StreamYard**.

Alinhe as suas expectativas

Qual é o objetivo do seu primeiro lançamento? Independentemente da sua resposta, o seu objetivo principal deve ser aprender o processo. Há quem atinja muitos dígitos no primeiro lançamento, outros que vendem um ou dois produtos ou até nenhum. E está tudo bem!

Há três problemas que podem fazer com que você não venda: tráfego, tráfego e copy. A primeira coisa que você pode ter feito de errado é ter trazido pessoas desconexas para sua oferta, pessoas que não têm interesse naquilo o que você oferece. Já o segundo erro no tráfego tem a ver com a taxa de comparecimento, que é ter um número baixo de pessoas em uma *live*, por exemplo. É importante ter um número mínimo de 100 pessoas para conseguir conquistar vendas, mas abordarei isso melhor a seguir. E o terceiro erro é ter uma *copy* ruim, mal escrita e que não gere desejo nas pessoas.

LEMBRE-SE!

Teste seu conhecimento

Que tal testar se você realmente fixou o conteúdo das páginas anteriores? Siga em frente e responda:

Quais são as três ferramentas principais para fazer o seu webinário de vendas?

Explique qual o objetivo do primeiro lançamento.

Se você fizer 0 vendas no seu primeiro lançamento, quais os três tipos de erro que pode ter cometido? Explique cada um deles.

De olho nas métricas

É importante analisar as métricas do lançamento para saber quais serão as estratégias adotadas e como melhorar a sua performance. Para ajudá-lo, a seguir, apresento quais métricas são realmente importantes de serem analisadas.

Taxa de comparecimento

Em relação ao seu banco de dados, que são as pessoas que você captou no pré-lançamento, quantas pessoas estão participando da sua *live* de lançamento? Isso é a taxa de comparecimento. Se você captou 1000 *leads* é bem provável que na sua *live* de vendas tenha de 150 a 300 pessoas, ou seja, de 15% a 30% de comparecimento. Existem taxas maiores, mas não são consideradas normais. Uma boa dica é usar o WhatsApp para o envio do link da *live*, pois ele aumenta a taxa de comparecimento.

Se você seguir tudo o que apresentei até agora, é bem provável que a sua taxa esteja na média de 20%.

Taxa de conversão

Esta taxa significa quantas pessoas irão converter, ou seja, comprar o seu produto. A média normal do mercado é de 1% do seu banco de dados. Por exemplo: se você tem uma lista com 1000 pessoas, você vai vender 10. Em relação ao número de pessoas na *live* de vendas, você venderá uma média de 5%.

Ticket

O ticket é o preço do produto ou do serviço. Poderá impactar diretamente no seu resultado. Se o seu ticket é muito alto, a tendência é que sua taxa de conversão diminua um pouco, mas isso pode compensar no final. E se seu ticket é mais baixo, pode ser que sua taxa de conversão seja alta. Aqui você vai precisar analisar o retorno sobre o investimento, conhecido como ROI.

Análise dos resultados

Para que você consiga analisar a performance do seu lançamento e se o retorno sobre o investimento valeu a pena, preencha a planilha a seguir!

PLANILHA DE INVESTIMENTO	
Orçamento total do seu próximo lançamento	R$ 5.000
% de investimento em *lead* no lançamento	70%
% de investimento em remarketing	30%
Total de invesmento em *lead*	R$ 3.500
Meta de custo por *lead*	R$ 2,00
Meta de *leads*	1.750
Total de investemento em remarketing	R$ 1.500

FATURAMENTO ÓTIMO	
Tamanho da lista	1.750
Meta % de conversão	3,0%
Meta conversão	53
Preço do produto principal	R$ 497
Meta faturamento	R$ 26.093
Meta faturamento + oderbump	R$ 28.702

FATURAMENTO BOM	
Meta % comparecimento	
Meta lista de comparecimento	1.750
Meta % de conversão	1,5%
Meta conversão	26
Preço do produto principal	R$ 497
Meta faturamento	R$ 13.046
Meta faturamento + oderbump	R$ 14.351

FATURAMENTO FRACO	
Meta % comparecimento	
Meta lista de comparecimento	1.750
Meta % de conversão	0,7%
Meta conversão	12
Preço do produto principal	R$ 497
Meta faturamento	R$ 6.088
Meta faturamento + oderbump	R$ 6.697

Encerramento

Enfim, o seu lançamento aconteceu, você fez o seu *pitch* de vendas, a oferta, colocou o link e as pessoas compraram. A partir do momento que você "abre o carrinho", começa a sua fase de encerramento.

Uma coisa que você precisa ter em mente é que grande parte das pessoas vão comprar nos dias seguintes, e esse é o momento de colocar pressão, de usar os gatilhos de escassez e urgência para poder vender mais. Quando você não faz isso, as pessoas acabam deixando para depois e a ideia aqui é fazê-las agir.

Segue um checklist para ajudá-lo a pressionar o público indeciso e avisar que as inscrições vão se encerrar. Preencha com as suas datas e faça acontecer.

LANÇAMENTO		9h	É HOJE
		19h	FALTA 1 HORA
		20h	ESTOU AO VIVO
		20h	AGORA É HORA DE FAZER O SHOW!
		21h30	INSCRIÇÕES ABERTAS (E-mail; Wpp ou Telegram)
		10h	NOVO BÔNUS REVELADO (E-mail; Wpp ou Telegram)
		16h	REAFIRMANDO OS BENEFÍCIOS OU A GARANTIA (E-mail; Wpp ou Telegram)
		12h	ENCERRARÃO AMANHÃ AS INSCRIÇÕES
		9h	SUA ÚLTIMA CHANCE ENCERRA HOJE AS INSCRIÇÕES
		12h	VAI ENCERRAR EM 12 HORAS
		18h	VAI ENCERRAR EM 6 HORAS
		23h	FALTA 1 HORA PARA ENCERRAR
		9h	AS INSCRIÇÕES ENCERRARAM: ENTRE NA LISTA DE ESPERA

LEMBRE-SE!

Teste seu conhecimento

Revisite o checklist e cumpra toda a etapa de criação e envios de mensagens da parte do lançamento e na etapa do encerramento.

Entrega

Agora que você já tem alunos, chegou o momento de dar o melhor para eles, oferecer uma entrega perfeita para que eles mostrem a satisfação deles para os outros.

Há quatro formas de fazer a entrega: ao vivo, que é entregar em formato de *lives* o seu conteúdo. Pode ser em reuniões no Zoom, nas salas do Facebook, etc. Isso não impede de procrastinar o seu lançamento, o que pode acontecer, caso seja gravado, porque demanda mais trabalho e tempo de produção. Já ao vivo é fácil, rápido e simples! Você não tem como criar desculpas.

A segunda forma é fazer um curso gravado, porém vale lembrar que, nesse modelo, você precisa de planejamento. É preciso equipamento, um editor e ter datas bem-definidas para não se perder.

Outro formato é o misto, ele mescla aulas ao vivo com gravadas. Geralmente, as aulas ao vivo são usadas para tirar as dúvidas das aulas gravadas. Você também pode fazer um último encontro presencial que, aliás, é o último formato de entrega.

A dica é que você comece pelo ao vivo, assim você adquire experiência, gera conteúdo e conquista os primeiros *feedbacks*, estruturando, então, melhor o seu produto.

Além das entregas, nesse momento, também é importante coletar depoimentos. O segundo lançamento começa na entrega do primeiro, porque é o momento em que você dá o seu máximo e conquista depoimentos que funcionarão como prova social para o seu próximo lançamento. Isso vai tornar você uma autoridade e dar mais credibilidade para o seu produto.

Quando a pessoa manda mensagem agradecendo pelo seu produto, peça um depoimento na hora. Aproveite o momento! Pergunta como o seu curso impactou a vida dela e como ela foi transformada com aquilo. Aproveite quando a gratidão da pessoa está em alta para pedir o depoimento, não deixe o relacionamento esfriar.

Nesse momento, também é importante coletar dados, fazer pesquisas com os seus clientes. Acompanhe o **NPS** delas, que é o *Net Promoter Score*, que mede o grau de satisfação dos seus clientes. Isso é importante para que você consiga estabelecer um ponto de melhoria e entregar um produto com muito mais qualidade.

Recuperação de vendas

Nem todo mundo sabe, mas há muitas vendas que ficam pelo caminho. São as pessoas que geram um boleto e acabam deixando em aberto. A boa notícia é que é possível recuperá-las.

É importante ligar para essas pessoas para tentar entender o que aconteceu no meio do caminho. Algumas podem ter esquecido do boleto, outras digitaram o número do cartão errado e terá aquelas que virão com uma objeção, aí você já quebra essa objeção no momento.

Além disso, é fundamental que ligue alguém do suporte para o cliente, e não o especialista, para passar uma ideia de empresa grande e dar credibilidade. Essa ligação faz toda a diferença, porque há vários problemas no dia a dia das pessoas que podem fazer com que você perca vendas por bobeira, como número de cartão errado, falta de limite, etc.

Além da ligação, você também pode apostar em anúncios de remarketing para aquelas pessoas que abandonaram o carrinho. Acredite, isso faz toda a diferença!

Funil ampulheta

Essa ampulheta representa o relacionamento com o cliente no pré, durante e pós-venda. A ordem ideal de um funil é de cima para baixo: a pessoa descobrirá o especialista, você desenvolve o nível de consciência dela sobre o produto, cria o desejo e, na sequência, ela fará a compra.

Na parte de baixo, é o seu pós-venda. Depois que ela comprou, você precisa fazer a entrega que prometeu. Ajude ao máximo o cliente para que ele se torne um advogado da sua marca. Essas são as pessoas com nota 9 e 10 no seu NPS. É aquela pessoa que defenderá você quando alguém falar algo.

Quando você entrega o que prometeu, dá atenção para o seu público, oferece transformação, automaticamente ele se tornará um advogado da marca e te indicará para os outros. Essa segunda etapa do funil é a mais importante, porque é aqui que acontece o tão falado "boca a boca".

Capítulo 8

Pós-lançamento

Parabéns! Se você chegou até essa etapa, provavelmente, já realizou o seu primeiro lançamento. Contudo, como um infoprodutor não para, chegou mais uma etapa importante: o pós primeiro lançamento. Esse momento é essencial, pois é aqui que você coletará dados e depoimentos que serão necessários para elaborar estratégias, melhorar o seu produto e aumentar a sua credibilidade no mercado para um próximo lançamento.

Nas páginas seguintes, você aprenderá como tornar os seus resultados exponenciais, bem como coletar depoimentos dos seus alunos para usar como prova social nos lançamentos seguintes, acelerar o seu crescimento e entender uma metodologia nova, que é a B+M+L.

Pronto para aprender mais uma etapa essencial e alavancar os seus lançamentos? Se a sua resposta é sim, siga em frente e anote todas as dicas, pois elas farão toda a diferença na evolução dos seus lançamentos.

Como tornar seus resultados exponenciais

Antes de seguir em frente, é importante entender que um lançamento é um processo exponencial, ele começa devagar e tem um *boom* de crescimento. Aqui, apresento como fazer isso com o seu lançamento. Vale lembrar que demora um pouco para crescer no começo, mas depois pode ter saltos de crescimento.

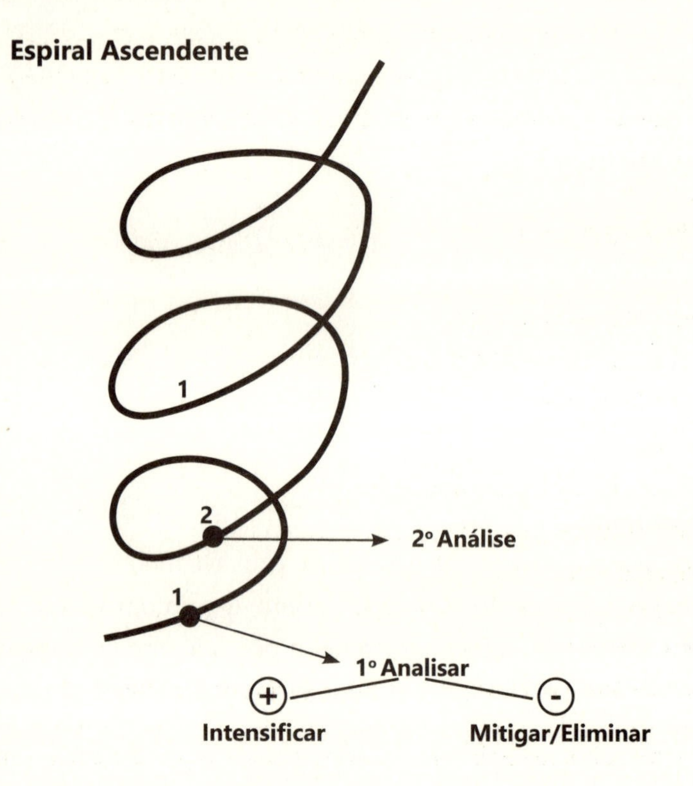

Para que entenda como funciona, é importante analisar a espiral ascendente de baixo para cima.

• Na primeira etapa, você analisará o seu lançamento. Os pontos positivos devem ser intensificados, já os negativos, reduzidos ou eliminados.

• Na segunda análise, você aprendeu com os erros, mas identificará novos erros e aprenderá mais.

- No terceiro lançamento, você também crescerá.

A fórmula do espiral ascendente é **AA = F (fazer) + A (analisar) + R (refazer).** E é isso que te dará um crescimento exponencial. Para tanto, é necessário fazer o *debriefing* do seu lançamento.

O *debriefing* nada mais é do que anotar e colocar os dados do lançamento passado em cima dos novos dados, para que você possa tomar decisões, mudar estratégias e gerar um resultado exponencial no futuro. Nesse documento, é preciso incluir algumas informações importantes, tais como:

- Data de lançamento;
- Estudo da persona;
- Promessa do seu produto;
- Preço que ele foi vendido;
- Número de vendas;
- Faturamento;
- Conversão do banco de dados;
- Taxa de comparecimento;
- Taxa de retenção.

Agora é a sua vez!

Responda às questões a seguir e teste os seus conhecimentos.

Desenhe o espiral ascendente e defina cada etapa de crescimento.

O que é espiral ascendente?

Qual é a fórmula da espiral ascendente?

Debriefing

Abaixo seguem itens importantes para que faça sua análise, ou seja, o debriefing do seu próprio lançamento.

Data do lançamento;
Quem é o seu potencial cliente?
Qual é a promessa do seu produto?
Qual é o ticket (valor de venda) do seu produto?
Número de vendas?
Qual é o faturamento total?
Qual é a taxa de conversão (número de vendas X número de pessoas cadastradas para o lançamento)?
Número de pessoas cadastradas no lançamento?
Quantas pessoas passaram pela *live* de vendas?
Qual foi o pico de audiência?

Coletando depoimentos

Existem alguns fatores que podem gerar autoridade e veracidade para você ou para o seu cliente, caso você seja um lançador.

Coletar depoimentos é extremamente importante para um lançamento. Quando você lança algo pela primeira vez, não tem depoimentos. Então, as pessoas compram de acordo com a confiança que foi gerada em cima do que você conseguiu passar para elas. O que é muito bom! No entanto, se você quer exponencializar os seus resultados, precisa coletar esses depoimentos dos alunos.

Na primeira turma principalmente, dê o máximo de atenção que puder, para que as pessoas tenham ótimos resultados, fiquem felizes e se sintam gratas por aquilo que fez.

Uma coisa é falar que o que você faz funciona, o que é duvidoso, porque você quer vender. Outra coisa bem diferente é quando uma pessoa de fora vem falar que aquilo o que você faz funciona. Melhor ainda é quando há uma comunidade de pessoas falando que funcionou, que você deu resultado, isso é ainda mais poderoso.

Quanto mais você compartilha resultados, consegue conquistar novas vendas. Então, aproveite esse recurso.

Quando as pessoas divulgam o seu trabalho, fazem o famoso "boca a boca". Isso é muito poderoso para o seu lançamento, pois faz com que os outros se sintam seguros e queiram consumir também.

O grande segredo é ter *time*. A hora de coletar depoimentos é quando o cliente agradece pelo o que você fez. Peça para a pessoa gravar um vídeo falando como era a vida dela antes do produto e como é agora. Como ele se sentia antes e como se sente agora? Não se esqueça de perguntar o sentimento dele em relação a isso. Aproveite o momento e não deixe o relacionamento esfriar. A vida continua! Se você deixar passar, as pessoas podem esquecer.

Uma dica é, ao final do curso, montar um concurso com algum prêmio ou recompensa para a pessoa que enviar o depoimento. Isso será um estímulo para que você consiga mais depoimentos.

LEMBRE-SE!

Teste seu conhecimento

Explique por que o *time* é fundamental na hora de coletar depoimentos.

Use as perguntas abaixo quando for fazer a coleta de depoimentos com os seus alunos:

- Como você me conheceu?
- Você ficou com dúvida ou medo na hora de comprar o produto?
- Como você se sentia antes do produto/metodologia?
- Como você se sente após a transformação causada pela metodologia?
- Como os seus familiares te enxergavam antes da transformação promovida pela metodologia?
- Como os seus familiares te enxergam depois de ter a transformação promovida pela metodologia?
- Qual foi a principal dificuldade/medo que você superou com o produto?

Ativo poderoso

Antes de seguir em frente, é importante entender o que é ativo. Esse refere-se ao seu banco de dados, ou seja, as pessoas que se cadastraram na sua lista de contatos. Essa lista só vai crescendo a cada lançamento, e você precisa se relacionar com a audiência. Mesmo que, em um primeiro momento, eles não comprem, você precisa nutrir esse relacionamento. Isso porque podem vir a comprar em um segundo, terceiro ou até no quarto lançamento.

O grande erro das pessoas é fazer um lançamento e abandonar o ativo. Lembre-se que se aquela pessoa se cadastrou é porque tem interesse no seu trabalho. Então, não deixe esse relacionamento esfriar.

E como manter o relacionamento com essas pessoas? Oferecendo conteúdo para elas, tentando entender por que elas não compraram neste primeiro momento. Pode ser por e-mail, WhatsApp, Telegram, etc. Quando você oferece conteúdo de qualidade gratuitamente, leva as pessoas a pensarem: "Nossa, se o conteúdo gratuito é assim, imagina o pago". E isso a estimulará a consumir o seu produto/serviço.

Se você criou um grupo no WhatsApp, por exemplo, é interessante deixá-lo ativo por cerca de três lançamentos para incentivar as pessoas que ainda não compraram a desfrutarem do seu conteúdo. Faça o envio de e-mails com constância.

LEMBRETE IMPORTANTE
Não jogue energia, tempo e dinheiro no lixo. Nutra o seu banco de dados após o lançamento. Entregue, pelo menos, três vezes por semana, conteúdos para o seu banco de dados.

Como acelerar o meu crescimento

Para ter um crescimento exponencial no seu pós-lançamento, você precisa entender de distribuição de conteúdo pago e orgânico. Para cada lançamento ser melhor e ter crescimento, você precisa estar em constante renovação, que é questionar aquilo que já existe e fazer cada vez melhor, a fim de conquistar o interesse das pessoas do seu banco de dados.

Há duas formas de fazer isso: a primeira é a distribuição orgânica, que é entender o algoritmo das ferramentas para ter um alcance gratuito melhor. Antigamente, quando o Facebook estava começando, você fazia um post em uma página e tinha uma entrega imensa, mas hoje não tem mais. E isso vai reduzindo para que você invista em anúncios para que sua publicação chegue ao público. Se você focar apenas no orgânico, demora muito mais para crescer. É preciso ter investimento para poder crescer. Ou seja, o ponto negativo do conteúdo orgânico é o baixo alcance das postagens, porque você depende do algoritmo para fazer a entrega do conteúdo.

Já o ponto negativo do conteúdo pago é que você precisa investir, terá um custo. Contudo, você crescerá mais rápido, tendo um maior alcance. Além disso, sabendo fazer o tráfego para o público correto, o seu conteúdo impactará pessoas que tendem a gostar do que você tem a oferecer.

Metodologia B+M+L

Essa metodologia faz toda a diferença dentro do lançamento e cada letra significa uma coisa. Vamos começar pelo ***B***, que é o ***branding***, responsável por revitalizar a imagem do lançamento. Pode-se dizer que ele apaga a parte chata de um lançamento. Isso porque lançamento é marketing e venda, ou seja, não é uma coisa tão legal. Você tem uma lista e fica ali de remarketing em cima dela o tempo todo tentando gerar vendas. Já o *branding* é a melhor parte, que é quando você trabalha a imagem e faz o cliente desejar o produto. O *branding* inverte o jogo, porque deixa de ser você correndo atrás do cliente, para ser o cliente desejando o seu produto.

Uma dica é que, em um lançamento, primeiramente você trabalha a imagem do expert nas redes sociais, a performance dele, a maneira como ele fala, transmite o conteúdo em lives, etc. Depois, segue em frente, porque o expert, antes de mais nada, precisa ser um líder e se posicionar nas redes sociais para atrair as pessoas.

O ***M*** é o **movimento** que quebra a principal objeção das pessoas, que é o "Será que eu consigo fazer isso?". Nesse momento, a pessoa já está confiante na sua metodologia e no seu produto, mas ela tem dúvidas sobre ela mesma conseguir fazer aquilo. Quando você aplica a estratégia do movimento, você quebra essa objeção, consegue converter mais. Ainda está em dúvida no que é esse movimento? Muita calma, no próximo capítulo, explicarei em detalhes. Quando você é um expert, será um líder e precisa gerar movimento, representar a tribo. Então, precisa gerar conexão com as pessoas e ser a representatividade. Além disso, deve ser bem posicionado na Internet, ter pulso, gerar engajamento, levantar bandeiras e ter uma causa. Quem é morno, não consegue crescer e nem gerar público.

E, por fim, temos o *L*, que é o **lançamento,** ou seja, construir uma imagem para agrupar várias pessoas em um mesmo lugar, fazer um evento com data e hora pcom início e fim, criar uma boa oratória e ter uma escrita persuasiva carregada de gatilhos mentais com o objetivo final de gerar vendas.

LEMBRE-SE!

Teste seu conhecimento

Confira se você absorveu o conteúdo que acabou de ler? Explique o que é B+M+L. Qual é a principal objeção presente na hora de vender um curso online?

Capítulo 9

Afinal, o que é movimento?

Já foi abordado o que é movimento e o quanto ele é importante, mas você conseguiu compreender o que isso quer dizer? Muita calma, este capítulo será dedicado a ensinar isso nos mínimos detalhes.

O movimento social é quando você tem propósitos e valores definidos para conseguir quebrar a principal objeção das pessoas, que é o "Será que funciona comigo?". Na maioria das vezes, as pessoas sabem que seu produto funciona e que você é bom no que faz, porém elas duvidam de si mesmas. E, para virar essa chave, é preciso aplicar movimento! Esse movimento é o que faz a diferença na hora das vendas, afinal, é possível vender sem ele, mas, com ele, as suas vendas podem ser ainda maiores.

Quando há um movimento, as pessoas têm referência e começam a ver que as outras conseguem e passam a acreditar em si mesmas. Quer entender isso melhor? Então, siga em frente e confira todo o conteúdo que preparei sobre o assunto para você.

Por que criar movimento?

O movimento é essencial para quebrar a principal objeção de vendas pela Internet. As pessoas não duvidam do seu produto ou do que você faz, elas duvidam de si próprias. Quando você traz um movimento, você sana essa dor, faz a pessoa acreditar que é capaz.

Estou falando de um movimento social. E, para isso, é essencial conhecer sobre pessoas, sobre ser humano, pois só assim você vai gerar esse movimento.

Quando as pessoas veem que outras estão conseguindo fazer algo, começam a acreditar que também podem. É como se fosse um efeito manada. A pessoa sozinha não acredita, mas, quando tem uma ambiência, ela é influenciada e acredita em si.

Por exemplo: aprender a falar inglês no Brasil é mais difícil, porque você não tem ambiência, não vive aquilo. Estuda e continua vivendo falando português diariamente. Agora, se você vai para os Estados Unidos, fica mais fácil de aprender, porque você precisará se virar para conseguir se comunicar e, consequentemente, aprenderá mais rápido. Está vendo a importância da ambiência?

Um movimento legítimo nasce de dentro para fora. Ele começa com o líder que, no caso, é o expert, e segue para as pessoas.

Vale lembrar que nem todo lançamento tem movimento, mas, se você aplica esse movimento e é algo verdadeiro, o seu volume de vendas será maior e o seu impacto social também. É aqui que entra um tripé importante para o movimento:

Princípios e valores -> Impacto social -> Custo de oportunidade.

LEMBRE-SE!
Teste seu conhecimento

Qual é a principal objeção que os clientes têm em relação a um produto na Internet, como um curso online?

O que é ambiência?

Por que o movimento quebra a principal objeção?

Explique o tripé importante para o movimento.

Como nasce um movimento?

Como disse nas páginas anteriores, o movimento acontece de dentro para fora, do líder para as pessoas. Já o resultado dele é de fora para dentro, das pessoas para o líder.

O movimento para nascer no coração do líder tem uma direção: **incomodação, alastrar,** que é contagiar as pessoas, e **rota.**

E o que é o movimento? É um ponto em comum entre várias pessoas, todas elas em prol de uma causa. Um líder lidera várias pessoas, e elas, através de um plano, lutam por uma causa. Exemplo: Martin Luther King, Nelson Mandela, Mahatma Gandhi, etc.

Se você observar, a maioria dos movimentos busca liberdade, tanto os sociais, como também os de lançamentos de cursos online, por exemplo. Mesmo que seja uma liberdade financeira, também trate-se de liberdade.

O movimento nasce do líder, porque é algo que incomoda a sociedade, oprimindo as pessoas. Esse líder é o corajoso que cansou daquilo e resolve liderar o movimento. Só que sozinho ele sabe que não vai conseguir lutar por essa causa, ele precisa de mais pessoas. Então, é hora de alastrar essa incomodação para aqueles que não sabem do movimento. O objetivo é que conheçam a causa e façam parte, divulgando para mais pessoas.

E, por fim, tem a rota. Todo líder é posicionado, tem um discurso e o seu "como fazer". Se o movimento do líder não tiver um plano, ele apaga, aliás, esse é um dos maiores erros de um movimento.

Construindo o seu movimento

A construção do movimento está baseado em um tripé: discurso, conexão do líder com a tribo e como fazer. Entenda melhor cada etapa abaixo.

Discurso: todo líder tem um discurso bem-definido, fala sobre as coisas que acredita e isso o conecta com a sua tribo. É nesse discurso que o líder vai expor o seu ponto de incomodação. Quais são as coisas que você acredita? Quais são seus princípios e valores? Externalize para o mundo e as pessoas que concordarem com isso farão parte do seu movimento. Lembre-se que, para criar um movimento na Internet, você precisa ser posicionado.

Conexão com a tribo: o líder precisa estar conectado com as pessoas. E isso acontece quando elas veem que você vive aquilo o que prega, porque elas desejam fazer aquilo, mas, na maioria das vezes, não têm coragem. Quando os seus princípios estão alinhados com o seu discurso, conseguirá conectar as pessoas ao seu movimento.

Como fazer: é o passo a passo para conquistar a sua causa, a metodologia. Quando não existe o "como fazer", as pessoas desistem e o movimento acaba.

LEMBRE-SE!
Teste seu conhecimento
Responda as perguntas abaixo.

Quais são as coisas que você acredita e que morreria por elas? Qual é o conceito de conduta da sua tribo?

O que é que realiza que faz com que as pessoas se conectem com você? O que elas não têm coragem para fazer, mas se inspiram em você?

Qual é o passo a passo que você ensina para que elas também consigam alcançar essa causa?

Por que as pessoas entram em um movimento?

A pirâmide de Maslow é muito comum para o estudo da administração, porque é a pirâmide que fala sobre as necessidades do ser humano. Ela tem relação com movimento, porque todas as pessoas buscam o último nível, que é autorrealização. E elas encontram isso em uma causa maior, ou seja, no movimento.

Necessidades fisiológicas: é a primeira coisa que você busca: se alimentar, sobreviver.

Necessidades de segurança: a segunda etapa da pirâmide é ter segurança, uma casa, um lugar para dormir, etc.

Necessidade social: se adequar a um grupo social, conquistar um carro melhor, uma casa, etc.

Autoestima: é a sua imagem, como você se vê.

Autorrealização: necessidade de pertencer a algo maior, a um grupo.

Fique atento à ordem

Existe uma ordem que você não pode furar, pois seus resultados podem ser minimizados. A ordem ideal é:

1. *Branding;*
2. Movimento;
3. Especialista;
4. Lançamento.

O *branding* é a coisa principal, porque se você tem um especialista que fala algo errado ou é mal interpretado, o *branding* dele vai por água abaixo. Na Internet, você precisa se preocupar com o que as pessoas vão pensar de você, principalmente se deseja ganhar dinheiro com isso.

Há duas fases do se preocupar: quando você está começando, não precisa estar nem aí para o que as pessoas estão pensando. Você tem de fazer sem se preocupar. Depois que você se destravou, começou a fazer, virou especialista e está criando conteúdo, precisa se preocupar com o que fala. Qualquer deslize ou piadinha de mau gosto, pode fazer com que você perca oportunidades e queime o seu *branding.*

Depois do *branding*, vem o movimento. Ele está acima do especialista, porque o líder pode ir, mas o movimento fica. Se a imagem do especialista está mais forte que o movimento, então você não criou um movimento adequado.

Seguido do movimento, vem o especialista. Você precisa se preocupar com ele, em como está, com o que ele irá falar, com a energia dele, etc. É preciso analisar a imagem do especialista, o *branding* pessoal dele e se ele está dominando o assunto.

Por fim, o lançamento, que pode ir mudando com o tempo. Uma dica importante é: se você tiver essa ordem bem-definida, o lançamento acontecerá de qualquer forma e com naturalidade.

LEMBRE-SE!
Teste seu conhecimento
Responda as perguntas a seguir:

Qual a importância do *branding* no lançamento?

Qual está o seu posicionamento nas redes sociais?

Capítulo 10

Técnica de lançamento

O processo de lançamento é um só para todo mundo. Basicamente, você empilhará pessoas para chamar atenção e, ao final, fará uma oferta. Porém, há vários tipos de lançamento para que você escolha o que se adéqua melhor para a sua audiência, sua rotina e seu dinheiro disponível para investir.

A cada dia, surgem novos tipos de lançamento, mas você pode ir criando o seu próprio método. O ideal é testar o que funciona para você. Nas páginas seguintes, apresento um estilo de lançamento que é acessível e você pode fazer com o que tem em casa, ou seja, não dá para ter desculpas!

O lançamento em questão é o ***Desafio do Instagram***, no qual você faz uma série de *lives* para aumentar a consciência da audiência, os ajuda a ter microrresultados e, depois, faz uma oferta.

Quer entender como colocar isso em prática? A seguir, descubra quantos dias de lançamento são necessários, como montar um cronograma eficaz e manter o engajamento da sua audiência lá em alta.

Tipos de lançamentos

Todo lançamento consiste em trazer pessoas, aumentar o seu nível de consciência e fazer uma oferta, mas existem alguns tipos que você precisa conhecer. Abaixo é apresentado um dos estilos mais famosos, que é o Desafio do Instagram.

Desafio do Instagram

Esse estilo é bem comum e você, com certeza, já deve ter visto por aí. Diferente do formato webinário, onde você capta *leads*, marca uma data, coloca toda antecipação e pressão para esse dia, faz uma *live* com um script e, no final, você vende, no *Desafio do Instagram*, você faz vários dias de *live* com pressão.

O lançamento do desafio tem a característica de ser de 7, 14, 21 ou 30 dias. O *time* que costuma dar mais resultado, normalmente, é o de 14 dias.

Uma das grandes vantagens é que, nesse lançamento, você usará apenas o Instagram. Basta ter uma iluminação, que pode ser a luz da janela, e um tripé, que podem ser até livros empilhados, ou seja, não tem desculpas!

O foco desse lançamento é reter a atenção, gerar engajamento, compartilhamentos e aumentar o nível de consciência dessas pessoas. Gere conexão e microrresultados para a audiência e, no final, você fará a sua oferta. Muitas pessoas comprarão o seu produto por esse engajamento. Vale lembrar que o que você vende nesse desafio é você, e o seu produto é consequência.

Durante os dias de *live*, você fará muitas colaborações, parcerias com outras pessoas para trazer um público novo e, com isso, conseguirá fazer o seu lançamento bombar. Um grande erro das pessoas é abrir o carrinho no primeiro dia do desafio.

Não é adequado abrir no primeiro dia de um desafio de 14 dias, pois é um momento de inauguração, as pessoas querem conhecer. Se você fizer um bom desafio, no decorrer dos dias, a audiência tende a crescer.

Outro erro é abrir o carrinho no último dia, porque as pessoas podem desistir no meio do caminho. Em um desafio de 14 dias, o ideal é abrir o carrinho no dia 12. Já em um desafio de 7 dias, é interessante abrir no quinto dia. Portanto, seja estratégico, nos dias seguintes, você ainda criará conteúdo e trará pessoas para consumirem.

Duração das *lives*

Uma *live* no Instagram, geralmente, pode durar até 60 minutos. Se você dividir sua *live* em cinco partes de 12 minutos cada, você mapeia essas *lives* para analisar a curva de crescimento em cada uma. Qual é o pico de audiência em cada parte? Normalmente, da quarta à quinta partes, existe o maior pico de *live*. Geralmente, com 40 a 45 minutos de *live*, é quando está o pico e, depois, começa a cair.

Para você que não tem tanto conteúdo e não sente muita confiança, não faça uma *live* de uma hora, e sim de 30 a 40 minutos no máximo. Assim, você termina no auge e não será tão cansativo. Não existe uma regra, veja seu nível de qualidade e retenção do público.

A taxa de retenção ideal é de 1 para 5. Por exemplo, se a sua *live* teve um pico de 1.000 pessoas, o ideal é que tenha passado durante toda a *live* 5.000 pessoas. O que mostra no contador lá em cima não é a quantidade de pessoas que passaram na sua *live*, são as pessoas que estão assistindo naquele momento. Esse dado de quantas pessoas passaram pela *live* pode ser visto ao finalizar a mesma.

Se essa taxa de retenção não for boa, será necessário melhorar a sua performance, a sua eloquência. Para tanto, crie alguma atividade para que as pessoas fiquem retidas na *live*. Caso perceba a taxa de retenção fraca, mude o foco, o cenário, você!

Cronograma de desafio de 14 dias

Se você começar o desafio no dia 3 do mês, o encerramento deve ser dia 17.

De 3 a 17, você fará *lives* e irá gerar conteúdo.

As vendas devem abrir nos dias 15,16 e 17.

Fase 1

Antes de começar, cerca de 7 dias antes do início, é a fase de pré-lançamento. Onde fará um post de antecipação + vídeo, um comunicado para avisar as pessoas que acontecerá o desafio e qual será a data de início.

O post de pré-lançamento precisa ter as seguintes informações:

- O que é o desafio?
- Para quem é?
- Qual é a transformação?
- O que você ensinará?
- O que as pessoas aprenderão no desafio?
- Como funcionará: dia e horário de início, se as *lives* ficarão salvas, etc. Uma dica é não deixar a *live* salva, porque as pessoas darão mais valor e se preocuparão mais em participar.
- Mostre também que funciona e cite que é gratuito. Isso trará muitas pessoas. Coloque também qual é a causa e porquê.

Fase 2

Seguindo esse exemplo que citamos, começamos a fase de construção que vai do dia 8 ao 17.

Durante esses dias, você pode fazer um post com a frase do dia, que pode ser uma frase impactante que você falou nas *lives*. E já chame para as pessoas comentarem, para gerar engajamento, ou lance um desafio para elas marcarem novas pessoas. Você também pode criar um sorteio de um livro para trazer ainda mais audiência.

Você fará esses posts durante os 14 dias, pedindo para as pessoas comentarem os aprendizados mais poderosos que elas tiveram com você.

Faça *lives* com convidados em outros horários. Por exemplo, a *live* do desafio será às 20 horas, e a com a parceria às 12 horas. Aí serão duas *lives* ao dia. Em 14 dias de desafio, a dica é ter uns cinco ou seis convidados, para gerar um público novo.

Além disso, crie conteúdos que gerem microrresultados para a sua audiência. A ideia é fazer as pessoas pensarem: "Se já consigo resultados com o gratuito, imagine o pago". Faça a pessoa ter essa percepção do microrresultado.

Nesse período, aumente também o nível de consciência da sua audiência. Diga que mais para frente terá a fase 3 e que não é para todo mundo, somente para quem é determinado.

Se você deseja trabalhar com lista de espera para os próximos lançamentos, indico fazer a partir do segundo. Diga que a lista estará no link da bio e vá cadastrando esse público novo.

Uma dica que faz a diferença é criar mapas mentais das *lives* para enviar pelo Telegram ou outro ponto de contato com o público. Após fazer tudo isso, a fase dois estará completa, só faltará a oferta no dia 15.

Fase 3 - Oferta

Essa fase será do dia 15 até o 17. Vale lembrar que essas datas são apenas exemplos para que você possa criar o seu cronograma.

É interessante aquecer o público dizendo que a *live* do dia 15 será especial, que revelará alguma coisa nova. Durante a *live*, nos minutos de 27 a 35, já faça uma oferta sem a pessoa saber, fale sobre a transformação, mentoria, processo e economia de tempo. Depois dos 35 minutos, faça a oferta mais aberta. Explique que abrirá uma oferta que você sabe que não é para todo mundo, que é para quem é determinado e abra a venda. Lembre-se de fazer a ancoragem para parecer que é barato pelo conteúdo que você entregará.

Depois disso, o desafio continua. Diga que, no dia seguinte, continuará e que amanhã você falará sobre determinado tema. Dessa forma, as pessoas continuarão assistindo e você venderá. Deixe os *stories* da oferta com o "*clique no link*" no seu Instagram.

Crie um site fácil com o nome do desafio ou o seu nome (precisa ser fácil de digitação) e que use o *.com* ou *.com.br.* Uma dica importante: ao precificar o seu produto, analise o valor de mercado e como a sua audiência pode estar receptiva a esse valor. Pronto, fazendo isso, você terá um lançamento que pode trazer resultados.

Capítulo 11

Modelando lançamentos

Em um lançamento, os detalhes fazem toda a diferença. Saber analisar o que deu certo ou não para mudar a sua rota é importante, assim como ter boas referências para não partir sempre do zero. E é sobre isso que apresento neste capítulo.

Nas páginas seguintes, você aprenderá os detalhes que fazem com que você mude o jogo no seu lançamento. Entenda quais são os quatro tipos de gráficos mais importantes para analisar o seu faturamento e até mesmo virar o jogo durante o seu lançamento, como criar a sua esteira de produtos para diminuir o seu custo por cliente e aumentar ainda mais o seu faturamento. Além disso, aprenda a criar conteúdos autorais e autênticos.

Afinal, não é porque o formato de lançamento está dando certo que você precisa fazer tudo exatamente da mesma forma que as outras pessoas fazem na Internet. Lembre-se que você precisa que as pessoas criem relacionamento e conexão com você para se tornarem advogadas da sua marca e isso só acontece com conteúdo autêntico.

Detalhes que fazem a diferença

O primeiro passo para você fazer um lançamento crescer do primeiro para o segundo é fazer o *debriefing*, que é uma análise para entender o que deu certo ou não.

Outra coisa muito importante é ter um *swipe file*, que é uma pasta onde você armazenará lançamentos, ou seja, é lá que você incluirá todas as suas referências. A dica é se cadastrar nos melhores lançamentos, salvar as páginas e ir analisando o que pode usar da sua maneira. É um jeito de você estimular a sua criatividade.

Existe uma extensão no Google Chrome que permite salvar uma página, ela chama-se *Go Full Page*. Em um clique, basta rolar toda a página e ela baixará no seu computador em formato PDF. Pronto, basta salvar no seu *swipe file*.

Crie pastas por nichos no seu *swipe file*. Por exemplo, lançamentos de finanças, de marketing digital, entre outros. Selecione bons especialistas, tudo o que for relevante para você recorrer e estudar. Você não copiará, e sim analisará cores, estilo de página, a copy, entre outras características. É difícil criar algo muito bom do zero e, com um banco de dados, você desenvolverá a sua criatividade.

4 tipos de gráficos

Esses gráficos representam o resultado do faturamento do seu lançamento. Então, é importante saber interpretá-los para definir as atitudes que terá.

O primeiro tipo é o **J invertido.** Vamos supor que, no início, no dia 10, você fez 1.000 vendas. Depois, elas foram caindo e, no dia 11, você fez menos. Por fim, no dia 12, menos ainda. Significa que você teve um grande número de vendas no primeiro dia e depois foi caindo e acabou. Esse gráfico é perfeito, porque mostra que você garantiu seu lançamento e teve o seu pico de vendas. E lançamento é isso: é ter um *boom* de vendas para garantir logo o seu faturamento.

Também tem o inverso, que é o **gráfico J.** Esse estilo significa que

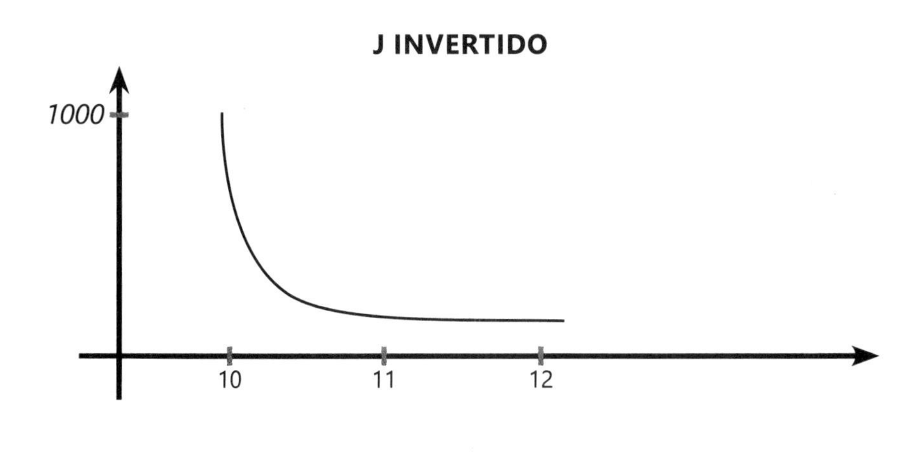

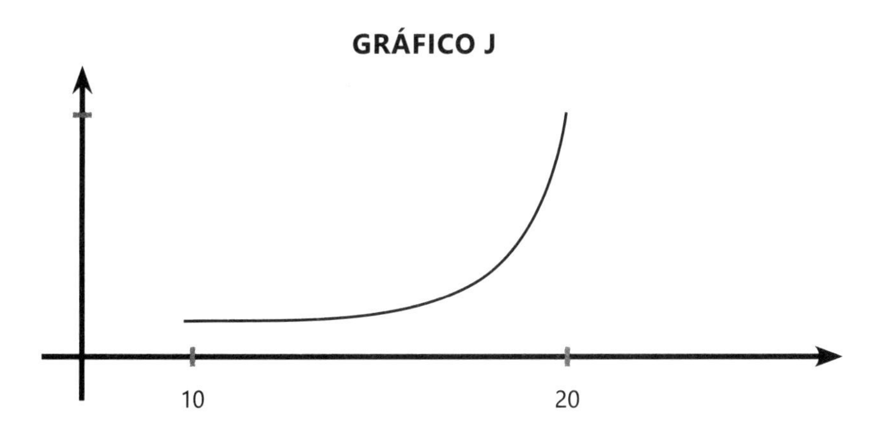

você começou mal e, no dia que fechou o carrinho, se deu bem, porque tomou outras atitudes no decorrer do lançamento e conseguiu reverter.

O **gráfico W** mostra que você vendeu bem, mas no dia 12, por exemplo, caiu. Aí você decidiu lançar um novo bônus ou trazer alguma oportunidade e voltou a vender, mas, depois, caiu de novo. Você tomou mais uma atitude e ele sobe. Aqui a ideia é criar ações para aumentar as vendas, seja melhorar os métodos de pagamento, trazer bônus, trabalhar urgência ou escassez, etc.

O último estilo de **gráfico é o U.** Ele representa que você vendeu

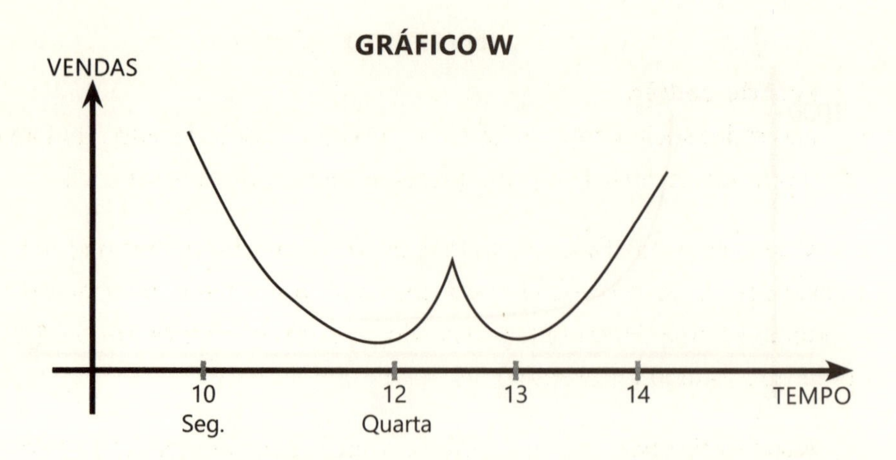

bem no início, mas na sequência teve uma queda. Então, voltou a vender bem no final, porque gerou a escassez. Uma observação é que, no gráfico U, é interessante gerar ações para fazer ele se transformar em um W. Dessa forma, você tem mais faturamento.

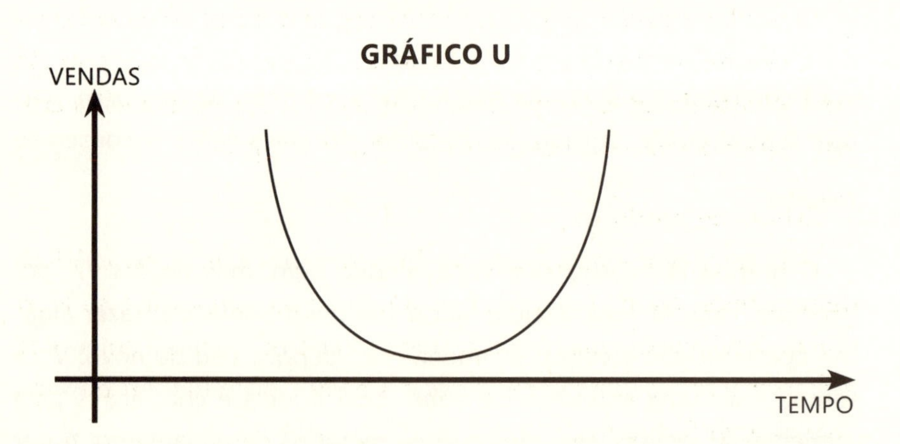

Quando você conhece os gráficos, consegue, no momento em que o carrinho está aberto, virar o jogo, implementando ações importantes.

Fuja do padrão

Nas redes sociais, tem muito conteúdo igual. Contudo, isso não fará com que você cresça. É importante ser autoral, autêntico, ser você.

Vídeos com *headlines* ainda funcionam no mercado, mas não funcionam tanto quanto você gerar vídeos para o seu feed no Instagram, gerando valor. É diferente fazer isso do que usar trechos de conteúdos de uma palestra, por exemplo.

A audiência quer sentir que está com você, assim um formato personalizado faz mais sentido, é mais persuasivo. Se você lança algo robotizado e posta, não funcionará tanto quanto se você criar algo personalizado para a plataforma. Se você gravar conteúdos diretamente para o Instagram ou no Youtube terá mais relevância, isso é um fato.

Lembre-se que é melhor você gravar novamente uma frase que deu certo em uma *live* do que fazer um recorte no vídeo desta *live* e postar. Dá mais resultado gravar um vídeo personalizado por quatro dias do que jogar um vídeo robotizado todos os dias da semana. Você terá mais alcance, mais engajamento com conteúdo personalizado.

Faça o básico bem-feito, não precisa seguir um padrão. Ficar fazendo a mesma coisa só cansará a audiência e o resultado não será tão bom. A base de um lançamento é a sua audiência, e você precisa criar um relacionamento. Não seja comum, chame atenção!

Esteira de produtos

Depois que você fez um lançamento, conseguirá ter a possibilidade de ter alunos. Assim, muitos terminarão o curso com você e, se focar em um funil ampulheta, como foi apresentado nas páginas anteriores, eles terminarão e vão querer outro. Os alunos buscarão um próximo nível de transformação.

A pessoa que fez um lançamento de 6 dígitos também vai querer fazer 7 dígitos. E, depois, múltiplos dígitos. Se o expert teve resultado, vai querer evoluir cada vez mais.

Existem os níveis de consciência, de desejo, e agora que você já tem o aluno, supriu o primeiro nível de desejo dele. Tenha uma boa entrega para oferecer o segundo. E o melhor é que o custo de retenção desse cliente é zero. Dessa forma, você consegue aumentar o seu faturamento sem custo.

É essencial que você crie uma esteira de produtos, pois você aumenta seu **LTV**, *lifetime value*, que é o tempo de vida que o cliente tem dentro de sua empresa. Foque em entregar o melhor para sempre gerar desejo para o próximo nível.

Mesmo que você tenha só um nicho, é bom ter vários produtos. Faça o cliente ser um advogado da sua marca.

A maioria das empresas vende primeiramente um produto barato, de entrada. Assim, consegue atingir, por exemplo, 300 pessoas. Isso é só para pagar *lead*, pagar o custo. Só que dentro do seu conteúdo mais acessível, você faz uma boa entrega para poder vender um produto mais caro. Isso fará com que as pessoas entrem para a sua lista de e-mails, recebam conteúdos, vão se relacionando e, durante esse período, você vai mandando a sua oferta.

A melhor forma de aumentar o lucro é vender mais vezes para os mesmos clientes, pois, assim, você diminui custos. Pense nisso.

Capítulo 12

Em busca de um expert

Se você chegou até aqui, já sabe exatamente como dar o primeiro passo para um lançamento. E para lançar, antes de mais nada, você precisa de um especialista ou se é especialista de um lançador, certo? Se você não sabe como fazer isso, as próximas páginas serão o seu guia.

Para ser um lançador ou especialista, você precisa de um sócio e, se não sabe onde encontrar essa pessoa e nem o que analisar para firmar uma parceria de sucesso, muita calma. Neste capítulo, você aprenderá como e onde encontrar os lançadores e especialistas ideais para firmar uma parceria, como abordá-los tanto no mundo físico, como também no digital, e até mesmo como criar uma proposta irrecusável para o seu lançamento.

Se era isso que estava faltando para você dar o pontapé para empreender no mundo digital, siga em frente e anote as dicas infalíveis que apresento para você.

Encontrando um sócio

Quando faço referência a um sócio, pode ser tanto um expert para um lançador, como também um lançador para um expert.

A primeira coisa que você precisa entender é que existe a parte técnica e a filosófica. Há muitos lançadores bons que não têm resultados tão incríveis, e isso acontece porque ele não sai da parte filosófica. Por exemplo, uma parte filosófica é ter um bom *networking*, ter contatos.

Você precisa saber que sócio é igual a diferenciação. Quando você busca um sócio, a pessoa precisa mostrar que ela é capaz, que é boa naquilo que você não é tanto. Um supre a necessidade do outro.

No cenário atual, quem é lançador tem mais benefícios do que quem é especialista. O lançador está em extrema abundância, porque existe muito mais especialista do que lançador. Portanto, não se desespere, não aceite qualquer coisa.

Se você é especialista e busca um lançador, vá conquistando os seus microrresultados, os seus primeiros alunos, colhendo bons depoimentos, aumentando a sua audiência, etc. Quando você mostra isso, os lançadores buscam por você.

Como encontrar lançadores e especialistas

Se você ficar parado, ninguém vai te achar. **O primeiro passo é estar sempre em movimento,** tanto nas redes sociais como também na vida. É importante criar conteúdo, usando seu Instagram como cartão de visita. Como está o seu perfil hoje?

Já o **segundo passo é ter visão ativa,** que é quando o consciente e subconsciente estão com a percepção ligada para algo. Ou seja, é quando você presta mais atenção em algo. Sabe quando você quer um carro e começa a perceber vários carros desse modelo na rua? Isso é visão ativa, porque a sua percepção está ligada a isso. Quando a visão está ativa, fica mais fácil de pensar em pessoas que podem ser possíveis experts. Pode ser um advogado, a sua manicure, uma micropigmentadora, entre outros.

O **terceiro passo é ir em eventos,** que podem ser palestras, convenções, imersões, mentorias, etc. Para abordar e conhecer pessoas, esteja bem-vestido, ande sorrindo. Seja até cara de pau, oferecendo um chiclete para começar o assunto. Dentro de um evento, você faz pontes! De uma amizade, você consegue fazer várias outras. E o segredo é mostrar para as pessoas que você é interessante, gera valor, para que ela queira chamá-lo no WhatsApp para bater um papo. Além disso, tire fotos, poste no seu Instagram, isso mostra autoridade, revela que você realmente vive aquilo e gera credibilidade.

Encontre um bom especialista

Se você deseja buscar um especialista, precisa analisar um tripé: a primeira parte são os **princípios e valores.** Se isso é diferente, aos poucos vocês vão se desconectar e se sentir desconfortáveis na parceria.

O segundo ponto do tripé é analisar se o **especialista tem um jeito de professor, se tem metodologia**, se sabe explicar bem. Se a pessoa tem metodologia, sabe explicar e já tem alunos, está no ponto certo. E se tiver audiência no mundo digital e depoimentos de alunos, melhor ainda!

Já o terceiro e último tópico do tripé refere-se a **custos e oportunidades.** A pessoa precisa dar lucros.

Há coisas que não são negociáveis, como princípios e valores, mas, o jeito professor e custos e oportunidades podem ser. Por exemplo, o especialista é bom, mas não sabe falar tão bem. Isso a pessoa pode trabalhar com fonoaudiólogo para palestrar melhor, fazer cursos, etc. É preciso analisar com calma para saber o que vale a pena para você como lançador.

Agora, se você é especialista e deseja encontrar um bom lançador, você precisa ter um bom Instagram, gerar conteúdos atrativos, ter alguns alunos, depoimentos, etc. Você pode encontrar bons lançadores em eventos de marketing digital.

Abordando um especialista

A primeira coisa que você precisa pensar é em você. Vista-se bem para se sentir confiante e abordar o especialista com segurança.

Há duas formas de abordar um especialista: a digital e a física. Em relação a estar bem-vestido, no digital, a sua "roupa" será o Instagram. Lembre-se que ele é o seu cartão de visitas.

Quando você escolhe um especialista para abordar, a primeira coisa é identificar as dores dele. Estude o especialista, saiba a história, identifique as falhas e os pontos de melhoria nele. Isso dará argumentos para que você consiga conversar e negociar com ele. O segredo está em trazer soluções para os problemas desse especialista, gerando valor.

Identifique também o que agrada o especialista, estudando a história dele. Você sabendo do que ele gosta, conseguirá abordar no ponto certo. Enfim, prepare-se!

Depois que você fez tudo isso, você fará o *pitch* para a pessoa. Mostre as oportunidades que ela terá sendo um especialista, cite as melhorias que você pode oferecer à ela e revele outros profissionais da área que trabalham como especialista. Dessa forma, a sua oferta tende a ser mais assertiva.

No digital, você pode pesquisar pessoas no explorar no Instagram e entrar em contato com elas e, de forma física, você pode ter um amigo em comum, pode marcar uma consulta, descobrir onde o especialista costuma ir. Enfim, mapeie a rotina dele para conseguir abordá-lo da melhor forma.

Inversão de risco

Aqui você entenderá uma forma infalível de como fechar com o seu especialista. Quando a pessoa está em dúvida se fechará, você trabalha a inversão de risco. Por exemplo, mostre que tem tanta certeza que aquilo dará certo, que inverte o risco, diz que banca todos os custos, que a pessoa só precisa se comprometer a estar com você e que o lucro vocês dividem.

Pode ser que a pessoa não aceite, porque nem todo mundo quer criar conteúdo e se expor no online, aí você vai para outra alternativa. Contudo, se a pessoa quer trabalhar com isso, você faz o seu *pitch* e, se ainda assim o especialista estiver em dúvida, você inverte o risco. As chances de fechar depois disso são gigantescas.

Alinhamento de expectativa

Agora que você chegou até aqui, precisa saber a parte ruim: você se frustrará com o mercado de lançamento, isso é inevitável e acontece. Contudo, para que essa frustração seja a menor possível, preciso explicar no que consiste o sucesso de um lançamento.

O *boom* de um lançamento depende muito da combinação entre lançador e especialista. Por exemplo: o lançador é o álcool e o especialista é a chama. Se o especialista é uma fogueira gigante e o lançador começou agora, ainda será fraco, será uma tampa com álcool. O que acontece? Se ele jogar essa quantidade de álcool, agregará muito pouco para o especialista. É por isso que um especialista que é grande, já tem *branding*, um nome no mercado, não quer um lançador sem experiência, porque a pessoa não quer arriscar com o nome dele. A mesma coisa acontece quando é o contrário. Isso é um custo de oportunidade.

Para que você não se frustre, a dica é dar um passo de cada vez. Se você está começando agora, é interessante pegar um especialista que está no início também e, aos poucos, vocês vão crescendo e aprendendo juntos. Ninguém começa gigante do dia para a noite, é preciso trilhar o caminho com dedicação e paciência. Acredite em você!

PASSO A PASSO DO LANÇAMENTO

1

SUA AUDIÊNCIA

Faça uma análise de quem é a sua persona e se sua base de dados está aquecida. Faça também um levantamento de seu atual banco de dados e se está nutrindo-o com conteúdo de valor frequentemente.

2

BRANDING

Intensifique o *branding* do expert, ou seja, a imagem que ele transmite nas redes sociais. Quanto mais a audiência se impactar pelo *branding*, mais ela terá o desejo de consumir seus produtos e/ou serviços.

3

DATA DE LANÇAMENTO

Defina a data de lançamento e não mude-a. Concentre todos os seus esforços para cumprir este desafio!

4

FANPAGE* OU *GOOGLE ADS

Crie páginas no Facebook e/ou Google para vincular os criativos (anúncios). Defina o orçamento para o lançamento. Caso não tenha verba, poderá fazer o seu primeiro lançamento de modo orgânico, trabalhando apenas a sua audiência. Para fortalecer a sua base, relacionamento é fundamental.

5

BIG IDEA

O que o seu produto pode oferecer de novo? Como o seu método pode ser original? Formule uma "Big Idea" para atrair mais *leads*.

6

PROMESSA

Formulada a sua Big Idea, defina a sua promessa. Essa deve ser específica, e não abrangente. Quanto mais tangível a sua promessa, melhor. Isso garante mais clareza e veracidade. Cuidado: é necessário que o seu produto apresente a solução apresentada em sua promessa.

7

COPY

Agora é o momento da *copy*, em que você usará todos os gatilhos mentais ensinados neste livro. Seja persuasivo em todos os seus anúncios de captura de *leads* frios, remarketing e chamadas nos grupos de Whatsapp e/ou Telegram.

8

CRIATIVOS

Crie *Landing Page* para captar potenciais clientes. Crie também a página de "obrigado", formule os grupos de Whatsapp ou Telegram e faça os e-mails marketing. Atenção: essas atividades podem ser feitas por um webdesigner. O especialista precisa focar a sua energia no evento de lançamento, no conteúdo.

9

TICKET

Defina qual será o valor do seu produto ou serviço. Lembre-se de estudar o seu banco de dados para certificar-se que o valor está adequado. Anuncie sempre o seu ticket mencionando o valor das parcelas, e não o "valor cheio".

10

PÁGINA DE VENDAS

Cadastre o seu produto digital em uma página de venda. Não se esqueça que algumas plataformas solicitam até três dias úteis para aprovar. Por isso, faça o cadastramento com antecedência.

11

BÔNUS

Além do seu produto, consiga bônus (até mesmo com parceiros) para sua oferta ficar ainda mais atrativa. O potencial cliente tende a pensar que é uma oportunidade única a sua oferta; que ele está adquirindo muito mais pelo valor estabelecido.

12

ALINHE AS SUAS EXPECTATIVAS

Qual é o objetivo do seu lançamento? Verifique as métricas, a taxa de comparecimento no evento e analise a possível taxa de conversão.

13

O GRANDE DIA!

O especialista deve ter energia total no evento, levando valor para a sua audiência e sempre usando os gatilhos mentais em sua oratória.

14

ENCERRAMENTO

Após a "abertura do carrinho", começa a sua fase de encerramento. Esse é o momento de colocar pressão, usar o gatilho de urgência para vender mais.

15

ENTREGA

Faça a entrega prometida do seu produto ou serviço. É importante cumprir toda a entrega, inclusive todos os bônus apresentados. Lembre-se: os clientes podem fazer a sua melhor propaganda para futuros lançamentos.

16

RECUPERAÇÃO DE VENDAS

Sempre existirão potenciais compradores do seu produto. Por isso, vale recuperá-los: ligue para essas pessoas para entender o que aconteceu no meio do caminho, quebrando todas as possíveis objeções. Faça também anúncios de remarketing para todas aquelas que abandonaram o carrinho na página de vendas.

CONFIRA NOSSOS
LANÇAMENTOS AQUI!

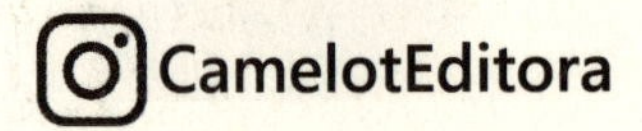